1781

Hanna Axmann-Rezzori

Keine Zeit für Engel

Roman

Hoffmann und Campe

CIP-Kurztitelaufnahme der Deutschen Bibliothek

Axmann-Rezzori, Hanna:
Keine Zeit für Engel : Roman / Hanna
Axmann-Rezzori. – 1. Aufl. – Hamburg :
Hoffmann und Campe, 1982.
ISBN 3-455-00201-3

Schutzumschlag und Einbandgestaltung Werner Rebhuhn,
unter Verwendung eines Bildes (Ausschnitt) von
Hanna Axmann-Rezzori
Gesetzt aus der Garamond
Satzherstellung Fotosatz Otto Gutfreund, Darmstadt
Druck und Bindearbeiten Ebner Ulm
Printed in Germany

1. Kapitel
Die wunderbare Mutter
Der Hintergrund

2. Kapitel
Puppe Wunderhold und Anatole Depardieu
Eine Ehe

3. Kapitel
Johanna und Gustave Ziborrah
Eine unglückliche Reise

4. Kapitel
Alma Elisabeth, die Mutter und Johnny O'Hara
Szenen eines Zusammenlebens

1. Kapitel
Die wunderbare Mutter
Der Hintergrund

Es war einmal eine Mutter, die fraß ihre drei Kinder. Dann knöpfte sie ihren Rock auf, um ein lästiges Drükken loszuwerden, und sagte:

»Ach, meine Gallenblase tut mir weh, ich muß wohl zuviel gegessen haben. Ich kann rein gar nichts mehr vertragen.«

Das ist sehr lange her. Heutzutage ist alles ganz anders. Wenn man von der Zeit der Puppe Wunderhold und ihrer Schwestern redet, so ist sie ungefähr so weit weg wie die Zeit der Dinosaurier. Puppe Wunderhold und ihre Schwestern gehörten der schrecklichen Gesellschaft an, die noch nicht fortgeschritten war und in der es nur Unterdrücker und Unterdrückte gab, nur Einsame, Verlorene und Verrückte.

Die gute Mutter konnte nichts dafür, daß sie die Kinder fraß. Sie wußte es ja nicht besser und liebte sie über alles. Sie hatte sich keinen Vorwurf zu machen.

Zum Glück waren ihre Kinder nur Mädchen. Söhne hatte sie nie haben wollen, denn Männer waren ihr ekelhaft. Betrunkene Männer noch ekelhafter. Depardieu, ihr Schwiegersohn, war meistens beides, was für sie besonders schwer zu ertragen war. Sie war so sehr gegen Männer, daß sie sogar Depardieus männlichen Hund einfach nicht als solchen wahrnehmen wollte. Er war *die Filou,* eine Hündin, obwohl seine männlichen Dackelgeschlechtsteile gar nicht zu übersehen waren.

Männer waren der Mutter ekelhaft, und die Liebe zu Männern war ihr fremd. Vielleicht hat sie den guten schönen Vater als einzigen Mann trotzdem auf ihre Weise geliebt, die untere Hälfte aber bestimmt nur mit Abscheu.

Die Ehe mit dem christlichen Vater wurde gegen den Willen ihrer Eltern geschlossen, die streng jüdisch waren, so streng, daß die Mutter froh war, dieser Strenge zu entkommen, ganz gleich wohin, zu Jude oder Christ. Sie war erst achtzehn, als sie den um vieles älteren Vater heiratete, der versprach, sie auf Händen zu tragen, was er sein Leben lang auch tat, obwohl dies oft mit Schwierigkeiten verbunden war und er wie ein Hund leiden mußte unter ihrer Kühle und unter den Strafen, die sie ihm auferlegte, wenn er ihr untreu war. Was Männer wirklich waren, wußte die gute Mutter zur Zeit ihrer Eheschließung noch nicht, aber daß die Hauptsache an ihnen ihr ekelhaft sein würde, das fand sie schon in der Hochzeitsnacht heraus.

Die Mutter war wunderschön. Atemberaubend, sagten die Tanten. Sie war sogar noch schön mit weißem Haar, das wie der Mond am Himmel leuchtete, wenn sie in aufrecht energischer Generalshaltung und etwas angewiderter Miene – sie fand die Franzosen besonders häßlich – vor Depardieus Apotheke stand und die Kunden zählte. Es gab Fotos aus ihrer Jugendzeit, auf denen sie eine dunkelhaarige, zarte Schönheit war, mit ovalem Gesicht, großen grünen Augen, schmaler, ganz leicht gebogener Nase, einem wunderbar gezeichneten Mund und einem so makellosen Teint, wie ihn jetzt nur noch die Königin Elisabeth hat.

Die Mutter liebte ihre Kinder ohne Einschränkung. Sie tat alles für sie, wie sie immer wieder sagte, fraß sie sogar auf, um sie so von allem Übel fernzuhalten. Daß sie nun alle miteinander ein ziemlich scheußliches Schicksal haben sollten, weil sie gefressen wurden, das konnte die gute Mutter nicht verstehen.

Alma Elisabeth wurde zuerst geboren, ein Jahr später Fanny Josefa, die Puppe Wunderhold. Das dritte Kind, Johanna, kam erst viele Jahre später, zu Zeiten des Malers Fritz Schöntraum. Alma behauptete, Johanna sei des Malers Kind, was aber eine Verleumdung war, denn gerade Johanna war dem Vater wie aus dem Gesicht geschnitten.

Außer ihren Kindern liebte die Mutter nur noch ihr Bett, allerdings nicht, um es mit dem Vater zu teilen, sondern um allein darin herumzuliegen. Die wunderbar wohlige Wärme schien ihr das Paradies zu sein, und um nicht ständig wieder daraus vertrieben zu werden, erfand sie sich mancherlei Krankheiten, so zum Beispiel eine Blasenkrankheit, mit der sie sich gegen die ewigen Liebesangriffe des Vaters wehren konnte, denn Geschlechtsverkehr wurde ihr von Doktor Rothschild jedesmal verboten, wenn sie es an der Blase hatte.

Doktor Rothschild kam eine Zeitlang fast täglich. Er setzte sich neben das Bett der Mutter auf den Wäschepuff, der, wie die Wände des Zimmers, mit glänzend blauer Seide bespannt war, und hoffte bei jedem Besuch wieder, daß seine kurzen Beine von diesem Wäschepuff aus doch endlich einmal den Boden berühren würden. Er verordnete Bärentraubenblättertee, streichelte der Mutter tröstend die Hand und sagte, sie sei ja selbst noch ein Kind und müsse sich schonen.

Mit Doktor Rothschild bewies die Mutter ihre Zugehörigkeit zum Judentum, nach welchem sie oft rechte Sehnsucht hatte unter all den Christen. Denn ihre Eltern grollten weiter und ließen ihr Haus der abtrünnigen Tochter verschlossen. Die Großmutter litt und weinte viel, aber der Großvater blieb unerbittlich, bis er mit seinem Schuhladen und seinem Sohn Nathan in große Schwierigkeiten geriet und sich überzeugen lassen mußte, daß sein Schwiegersohn ein herzensguter und hilfreicher Mensch war. Die Mutter hatte es also der geschäftlichen Pleite ihres Vaters und auch Nathan zu verdanken, daß sie nach langer Zeit wieder in die Arme ihrer gestrengen Eltern zurückfallen durfte.

Onkel Nathan, ein von zuviel Strenge des Großvaters und zuviel Nachsicht der Großmutter zerrissener Mensch, war aus Leidenschaft zu einer großen Schönheit, die er mit gestohlenen Kostbarkeiten überschüttet hatte, ins Gefängnis geraten. Der Vater löste ihn aus, und aus Dankbarkeit oder der Einfachheit halber betrog Onkel Nathan, der weitere Schönheiten zu beglücken hatte, von da an viele Jahre lang erfolgreich und ausschließlich nur noch den guten Vater, indem er ihm gefälschte Bilder und unechte Diamanten verkaufte. Es hätte dies nicht unbedingt herauskommen und den Großeltern noch mehr Schande bereiten müssen, wenn der Vater nicht eines Tages zum Kauf eines Tizian, der ihm allein zu teuer war, einen Freund hinzugezogen hätte. Dieser Freund bemerkte den Schwindel und bestand darauf, Onkel Nathan schleunigst wieder ins Gefängnis zu befördern, und nur dem großen Einfluß des Vaters war es zu danken, daß Onkel Nathan statt dessen für einige Jahre in einem fernen Land untertauchen konnte. Die Großeltern aber sahen ihren Sohn nie wieder. Sie starben an Kummer und an Krebs, was Gott sei Dank noch vor der großen Judenverfolgung geschah, so daß den guten, frommen Menschen wenigstens etwas erspart blieb.

Die Mutter erinnerte sich sehnsuchtsvoll an ihre Eltern und erzählte bis ins hohe Alter immer wieder, wie der Vater ihr zuletzt seine so dünn gewordenen Arme entgegengestreckt habe, um sie zu segnen. Puppe Wunderhold und Johanna konnten sich kaum an die Großeltern erinnern, und Alma Elisabeth wollte es nicht. Die jüdischen Großeltern waren für sie nur der Grund, sich ihr Leben lang zu schämen. So waren die Kinder, was beide Großeltern betraf, ein wenig benachteiligt: Die einen waren zu jüdisch und starben zu schnell, von den anderen war nur noch die Großmutter übrig, die aber auch nicht das erfüllte, was Kinder von einer Großmutter erwarteten, denn die Arme hatte den Verstand verloren.

Großmutter Anna war eine sanfte, zarte Frau, die keiner Fliege etwas zuleide tat, aber sie war nach dem Tode ihres Mannes dem sexuellen Wahn verfallen und onanierte fortwährend, was für den Vater und die Mutter ein rechtes Problem war. Die Onanie galt damals noch als große Sünde, und ein Verwandter eben jener unglückseligen, so belasteten Großmutter hatte selbst seinen einzigen Sohn erschossen, weil er ihn auf der Toilette beim Onanieren erwischte. Ich sagte ja, daß diese schlimmen Zeiten längst vergangen sind. Heutzutage ist der verrückt, der nicht onaniert, und vielleicht hatte die arme Großmutter auch gar nicht den Verstand verloren, sondern war nur wirklich frei, eine Vorkämpferin. Damals aber galt die Großmutter als verrückt. Es wurde eine Krankenschwester engagiert, eine bösartige Person, die der Großmutter die Hände festband, um sie von ihrer Freiheit abzuhalten.

Nun beließ es die Großmutter allerdings nicht beim Onanieren. Wenn der Vater die Gute an milden Sommerabenden im Garten spazierenführte, geriet sie oft in große Not und bat ihn, ihr doch diese Not zu lindern. »Einmal nur, dort hinter dem Rosenbusch«, flehte sie. Der Vater konnte den Widersinn nicht ganz verkraften: Die eigene Mutter wollte mit ihm schlafen, die eigene Frau hingegen nicht oder nur recht ungern. So fing er damals schon an, mit seltsam weitgeöffneten Augen auf die Decke zu starren, als erwarte er eine Lösung von oben.

Die ersten zwei Kinder, Alma Elisabeth und Puppe Wunderhold, wuchsen in der größten Verwirrung auf. Oft sahen sie Pfarrer Ehrenberg und Doktor Rothschild um die Wette ins Haus hineinlaufen. Der eine kam wegen der Seele, der andere wegen der Blase. Pfarrer Ehrenberg, selbst konvertierter Jude, sollte die Mutter bekehren, aber die Mutter war störrisch. Sie wußte nicht ganz, was sie wollte, auf jeden Fall wollte sie nicht bekehrt werden. Später wurde sie katholisch, dann evangelisch – was Pfarrer Ehrenberg aber nicht mehr erlebte, denn er war zu der Zeit längst im Konzentrationslager gestorben –, dann verlor sie für eine Weile ganz ihren Glauben an den lieben Gott. Zuletzt hing sie fanatisch an Israel und behauptete, nie etwas anderes als jüdisch gewesen zu sein.

Die Puppe und Alma Elisabeth ließen sich etwas besser

als die Mutter von Pfarrer Ehrenberg betreuen, gingen auch an manchen Sonntagen widerwillig in die kalte Kirche, aber wer der Herr im Himmel und auf Erden war, das wußten sie nicht, kein Mensch wollte oder konnte es ihnen richtig erklären. Was Pfarrer Ehrenberg ihnen erzählte, glaubten sie nicht ganz, weil es die Mutter auch nicht glaubte. Der Vater, der schöne gute Vater, hielt sich in Erziehungsfragen zurück, um mit der Mutter Frieden zu haben, und die vielen Tanten hatten keine Meinung in himmlischen Angelegenheiten. Sie wollten nur mit dem schönen Vater schlafen, der ihnen diesen Wunsch auch gern erfüllte, um seinen Kummer über Frau und Mutter zu vergessen.

So war es also damals: Der Vater schlief mit den Tanten, die Großmutter war verrückt, der Onkel ein Betrüger, und über ihnen allen schwebte im Himmelblau die gute Mutter, die ihre Kinder fraß, ohne daß diese es wirklich bemerkten.

Die Mutter galt für alle als Vorbild. Verständlicherweise hatten der Vater und die Tanten ihr gegenüber immer ein ziemlich schlechtes Gewissen, verehrten und bestaunten sie deshalb um so mehr und waren ihr willige Untergebene. Die Mutter lebte nach ihrem bewunderungswürdigen Wahlspruch: *Ich kann nicht, liegt auf dem Friedhof, ich will nicht, liegt daneben,* im festen Glauben, alles zu können, wenn sie nur wolle, versuchte aber vorsichtshalber erst gar nicht, irgend etwas zu können. Dieser Spruch, den sie den Kindern oft vorsagte – sie tat es mit durchbohrendem Blick und aufgeblähten Nasenflügeln, um den wahren Erfolg zu erzielen –, wirkte auf die bescheidene Puppe wenig, löste aber bei Alma Elisabeth eine sture Besessenheit aus, die in der Schule zu guten

Noten führte, im späteren Leben jedoch, als sie die Untergangsmaschine in Gang gesetzt hatte, zur reinen Katastrophe wurde.

Die Kinder liebten die Mutter abgöttisch. Puppe Wunderhold mit ganz reinem Herzen. Als sie einmal mit einer der Tanten allein in die Ferien fahren sollte, schrie sie auf dem Bahnhof unaufhörlich: »Ich will meine gute Mutter, meine schöne Mutter, ich will meine liebe Mutter«, so daß man sie sofort wieder ins Elternhaus zurückbringen mußte. In Almas Herzen wuchs neben der Liebe ein kleiner Stachel. Noch bevor der Rassenhaß wie ein Großfeuer um sich griff, hatte sie böse Vorahnungen und Gefühle, wenn man ihr in der Schule sagte: Deine Mutter ist eine Jüdin. Deshalb liebte sie die gute Mutter, aber sie liebte sie mit etwas Argwohn. Auch verzieh sie ihr das Zunähen der Hemdhose nie ganz.

Die gute Mutter, der alle sexuellen Gedanken und Annäherungen zutiefst zuwider waren, nähte Alma Elisabeth, die damals sechs Jahre alt war, diese Hemdhose unten zu, denn eines Tages hatte sie ein Teufelsschreck durchfahren, als sie Alma Elisabeth und eine ihrer Freundinnen beobachtete, wie sie sich gegenseitig an ihren kleinen Fötzchen kitzelten.

Puppe Wunderhold hatte keine zugenähte Hemdhose, wohl auch so früh noch keine sexuellen Begierden, aber Alma gab nicht zuletzt der Hemdhosengeschichte die Schuld an ihrem so tragisch fehlgeschlagenen Liebesleben. »Ich konnte ja nicht einmal mehr Pipi machen«, klagte sie, »geschweige denn etwas anderes tun. Mutter hat soviel *Pfui* geschrien, daß ich einen Ekel vor mir habe bis zum heutigen Tag.« Der Puppe war dieser Ekel erspart geblieben. So wie der Blitz in manche Baumarten nicht einschlägt, blieb sie von allem Übel verschont, mußte allerdings dafür in Kauf nehmen, als etwas dumm zu gelten.

Hier muß ich erklären, daß an der Wiege der beiden Schwestern eine seltsame Ungerechtigkeit der Gabenverteilung stattgefunden hat. Der Puppe Wunderhold wurde vom Schicksal ein hübsches, kleines Klimperklavier mitgegeben, mit lauter fröhlichen Tönen, Alma Elisabeth hingegen eine riesige Untergangsmaschine. Zusätzlich wurde die Puppe Wunderhold auf eine seltsame Weise von der Zeit völlig vergessen. Jeder, der sie kannte, kann bezeugen, daß sie, nachdem sie ihr dreißigstes Lebensjahr schon weit überschritten hatte, niemals mehr auch nur einen Tag älter wurde. Aber all die Jahre, die an der Puppe vorbeigingen, ohne sie zu berühren, schienen der armen Alma Elisabeth doppelt auf den Buckel geladen. Denn je schöner die Puppe blühte, um so schneller verblühte Alma Elisabeth. Je lustiger die Puppe auf ihrem Klimperklavier spielte, um so schwerer und schleppender wurde Alma Elisabeths Gang, um so finsterer ihr Ausblick in die Zukunft. Puppe Wunderhold sah nur die bunten Seiten des Lebens – zumindest für lange, lange Zeit, Alma Elisabeth dagegen sah alles schwarz. Und eines Tages, als sie aus Amerika zurückkam mit Johnny O'Hara auf dem Arm, setzte sie ihre Untergangsmaschine in Gang, ohne zu wissen, wo der Abstellhebel war. Die Folgen waren fürchterlich. Überschwemmungsartig stand alles umher unter Wasser, nur die Puppe konnte sich auf ihrem Klimperklavier retten.

Zunächst schienen die äußeren Gaben der beiden Schwestern gerecht verteilt, denn zu Anfang waren beide schön, ja, Alma Elisabeth war sogar noch um einiges schöner als die Puppe. Sie hatte riesige graugrüne Augen, die Brauen waren wunderbar geschwungen, die Nase zierlich fein und ganz gerade, der Mund überwältigend groß, die Zähne gleichmäßig und von herrlichem Weiß, und wenn sie diesen schönen Zügen einen anderen Ausdruck hätte geben können, wäre sie eine zweite Garbo gewesen. Aber der armen Alma fehlte der Zauber. Sie hielt nicht viel auf sich, zerstörte, was schön war, zupfte die Brauen ganz aus, so daß die Augen nackt im Gesicht herumschwammen, hatte einen eigenartig abwesenden Blick, so, als verweile sie des öfteren im Jenseits, schminkte den Mund nachlässig, ohne seine herrliche Form zu wahren, und riß ihn nur ab und zu furchterregend auf, wenn ein Lachkrampf sie schüttelte. Im übrigen lachte sie wenig, sondern war von schwerfälligem, die Leichtlebigkeit strafendem Ernst.

Puppe Wunderhold war nicht ganz so ebenmäßig schön wie Alma Elisabeth, ihr Kopf war für ihre kleine zierliche Gestalt eher etwas zu groß und zu rund, so wie bei vielen Blumen. Aber während man die große Schönheit von Alma Elisabeth kaum bemerkte, war man entzückt von Puppe Wunderhold, denn alles, was sie von der Natur mitbekommen hatte, glänzte und strahlte durch ihr fröhliches Wesen, war wie in ein Goldbad getaucht, geschickt verschönt noch von modischen Kleidchen. Alma Elisabeth fand alles Modische blöd, affig nannte sie es. Sie verachtete Puppes Art und war überzeugt, daß jemand, der so viel Freundlichkeit habe, notwendigerweise dumm sein müsse. Da sie wußte, daß sie selbst hochintelligent war und zudem im Leben alles können würde, wenn sie es nur wolle, wie die Mutter sagte, war sie mit ihrem Schicksal recht zufrieden.

Im Hintergrund saß nun Doktor Rohtschild weiter auf dem Wäschepuff, der mit blauer Seide bespannt war. Große Stücke dieser Seide flatterten später nach den Bombenangriffen frei im Wind, und manche Leute, die auf den Trümmern des zerstörten Hauses herumstiegen, machten sich Halstücher daraus. Dieser Wäschepuff am Bett der schönen Mutter, auf dem Doktor Rothschild saß – ach, wie gerne wäre er dort immer sitzen geblieben, anstatt nach Auschwitz zu müssen –, war der Mittelpunkt der Welt. Die Mutter liebte ihr Bett, wie ich sagte. Im Bett war ihr am wohlsten, im Bett war sie am schönsten, vom Bett aus konnte sie leicht mittels einer lauten Klingel das ganze Leben im Haus dirigieren. Sie schrieb Küchenzettel mit den Mahlzeiten für den kommenden Tag, und wenn ein solcher Zettel fertig war, drückte sie mit ihrem Finger ungefähr eine Minute lang energisch auf die Klingel, was alle im Hause hochfahren ließ. Eine Minute ununterbrochenes Klingeln galt den Hausmädchen, fünfmal in kürzeren Abständen den Kindern und so weiter. Wenn die Mutter nicht klingelte, las sie Bücher über den Sozialismus, die Doktor Rothschild ihr mitbrachte. Waren ihr diese zu schwierig, so las sie Gedichte von Heine, lernte sogar manch eines, das sie besonders rührte, auswendig, um es dann den Kindern aufzusagen. *Mir ist, als ob ich die Hände aufs Haupt dir legen wollt, betend, daß Gott dich erhalte, so schön, so rein, so hold…* Alma Elisabeth brachte dies zum Kichern, die Puppe aber nahm sich vor, so schön, so rein, so hold zu bleiben. Auch schöne Lieder sang die Mutter den Kindern vor dem Schlafengehen vor. Blümelein, Stengelein, Mondenschein, Engelein. *Es schüttelt sich der Blütenbaum schon längst so wie im Traum, schlafe, schlafe, schlaf du mein*

Kindelein. Ein großer Blütenbaum stand im Garten und schüttelte sich so wie im Traum unter dem bleichen Mond der Stadt, oder er wurde von der Großmutter geschüttelt, wenn der Zorn auf die Krankenschwester sie packte. *Schlafe, schlafe, schlaf du, mein Kindelein.* Die Mutter war eine gute Mutter, kein Monster, sie fraß die Kinder nur aus Liebe und weil ihr gar nicht einfiel, was man anderes mit Kindern hätte anfangen sollen. Sie hatte die Kinder geboren, und nun gehörten sie ihr, sie sollten möglichst nicht erwachsen werden. Denn das Erwachsensein konnte sie nicht als Glückszustand empfinden. Sie nagte noch zu bitter am eigenen Aufwachsen und am Verlust ihrer Unschuld herum.

Es war für sie ein Sturz in die Hölle gewesen, den sie den Kindern ersparen wollte. Die Männer, sofern sie nicht als Bewunderer und Beschützer auftraten, wie Doktor Rothschild und Pfarrer Ehrenberg, waren Feinde. Wer eine Frau so aufspießen, ihr so in ihrem weichen Bett die Schenkel auseinanderreißen konnte, um auf ihr herumzukeuchen, mußte ein Feind sein. Die Kinder waren bei ihr weitaus besser aufgehoben als in der bösen Welt der Männer. Daß Männer unumgänglich waren, um Kinder zu bekommen, erboste die Mutter. Sie hätte das gerne anders gehabt, und die Emanzipation der Frau, von der sie in Doktor Rothschilds Büchern las, hätte sie nur vollends gutgeheißen, wenn auch das Zeugen den Frauen überlassen worden wäre. Wonnen kannte sie keine. Auch die Wonnen der Großmutter waren ihr fremd und unverständlich. Sie hatte große Felsblöcke dort zu liegen, wo andere die Wonne fühlen, und erst dem Maler Fritz Schöntraum sollte es gelingen, diese Felsblöcke für eine Weile ein wenig beiseitezuschieben.

Dem Vater gegenüber blieb die Mutter immer kühl, schmerzgepeinigt von seinen heftigen Stößen. Daß er jedoch, ähnlich der Großmutter, von übergroßen Sexnöten gepeinigt, zu den Tanten schlich, um mit ihnen zu schlafen, das paßte ihr wiederum auch nicht. Sie fühlte sich zutiefst beleidigt und weinte oft, was dem Vater, wie erwähnt, ein elend schlechtes Gewissen einbrachte. Er ließ sich darum für seine Untreue geduldig von ihr Strafen auferlegen. So durfte er nach jedem Fehltritt, den sie gewahr wurde, wochenlang am Abend nicht aus dem Haus, sondern mußte neben ihr sitzen bleiben und Bücher lesen, die ihn nicht interessierten und deren Text er kaum folgen konnte. Die Mutter paßte scharf auf, daß er beim Lesen nicht einschlief. Zum Glück war sie nicht sehr phantasievoll, so daß ihr keine groben Strafen einfielen. Sie konnte ihn schlecht in den Keller sperren, so wie sie es mit den Kindern tat, wenn sie ungezogen waren, da der Vater trotz Reue und Geduld zu Tobsuchtsanfällen neigte, was die Hausmädchen hätten hören können.

Obwohl nun die Mutter die Männer und ihre scheußliche Gier nicht ausstehen konnte, wußte sie einen feinen Unterschied zu machen zwischen Mensch und Mann. So brachte sie es wohl fertig, den Vater zu schätzen und zu lieben, weil er ein guter Mensch war, weil er ihren Eltern geholfen hatte, weil er den Onkel Nathan immer wieder aus dem Gefängnis holte und weil er ihr alles gestattete, was sie nur wollte. Selbst die Armen durfte sie mit seinem Geld bescheren. Im übrigen war die schöne Mutter dem Vater eine vorbildliche Frau, und außer daß sie sich ihm meistens verweigerte, was ihn leiden ließ, andererseits aber für ihn auch einen Reiz hatte, konnte er sich über nichts an ihr beklagen. Nur Fritz Schöntraum sollte ein dunkler Punkt werden.

Der Vater selbst war es, der den Maler Fritz Schöntraum ins Haus holte, um die Mutter porträtieren zu lassen. Sie saß ihm im Wintergarten Modell vor einer großen Palme. Sie trug ein weißes Spitzenkleid, das sie aus Venedig mitgebracht hatte.

Manchmal reiste die Mutter, und am liebsten fuhr sie nach Venedig. Die so wunderbar rosagoldene Stadt mit den schwarzen lautlosen Gondeln auf dem schwarzen glänzenden Wasser entzückte sie. Sie dachte, daß der Tod so lautlos sein müsse und das Himmelreich so rosa. Sie reiste immer mit einer der Tanten, einer, der sie jeweils vergeben hatte. Der Vater begleitete sie nie, er war nur einmal nach Italien mitgekommen, aber nach zwei Tagen sogleich entsetzt zurückgefahren. Er mochte das Ausland nicht und schon gar nicht die Spaghetti-Fresser. Er liebte nur den Frieden der hohen dunklen Tannenwälder des Hessenlandes, wo er zur Jagd gehen konnte.

Die Mutter also saß Modell im weißen Spitzenkleid vor einer großen Palme. Einmal, als sie Fritz Schöntraum ansah, oder vielleicht, als er ihr Gesicht berührte, um es in die richtige Stellung zu rücken, durchfuhr sie eine Art elektrischer Schock, und es wurde ihr plötzlich da wohlig heiß, wo sie bisher gar nichts oder nur das lästige Brennen der Blase gespürt hatte. Sie verwunderte sich sehr, bekam einen hochroten Kopf, beklagte sich über ein Unwohlsein und verzog sich sofort in ihr Bett. Dort aber wurde ihr Zustand nicht besser. Ihr Unterleib hatte ein Eigenleben bekommen, es klopfte und zuckte, und als sie ihre Hand zur Beruhigung an ihre so heißgewordene

Höhle legte, zog sich ihr ganzer Körper zusammen, ihr wurde schwarz vor den Augen, und für ein paar selige Sekunden dachte sie, sie sei im Paradies. Auch war ihre Brust bis ins Unendliche erweitert, in der Magengegend fühlte sie ein seltsames Feuer, ihre Kehle war trocken, ihre Ohren sausten. Erst langsam kam die gewohnte Ruhe zurück, und aus Furcht, das übermächtige Erlebnis könne sich durch eine Bewegung wiederholen, blieb sie stundenlang reglos liegen.

In den Tagen darauf weigerte sie sich aufzustehen. Es überfiel sie eine große Melancholie, und sie war ratlos. Fritz Schöntraum hatte ihr Weltbild ins Wanken gebracht. Und doch fand sie ihn nicht ganz dieser schrecklichen Männerwelt zugehörig, er war immerhin Künstler, was ihn in ihren Augen um viele Stufen höher rückte, denn für die Kunst hatte sie eine überirdische Verehrung. Trotzdem war der Zwiespalt groß. Das Feuer in der Magengrube, das Klopfen und Zucken im Unterleib, das sich einstellte, sobald sie nur an Fritz Schöntraum dachte, schien ihr nicht nur etwas mit der Kunst zu tun zu haben. Es muß wohl Liebe sein, dachte sie traurig und enttäuscht über ihr unvermutet anfälliges Herz, in dem doch nur ihre geliebten Kinder und, der Heiligkeit der Ehe wegen, der Vater Platz haben durften. Sie wollte sich auf keinen Fall versündigen, so wie es der Vater immer tat. *Wer sich in Gefahr begibt, kommt darin um,* sagte sie sich, und im Kampf mit der Versuchung schrieb sie den Anfang eines Gedichtes, das ihr nicht mehr ganz einfiel, auf einen Zettel und legte ihn unter ihr Kopfkissen, damit die Wörter in der Nacht magisch auf sie wirken konnten. *Was euch nicht angehört, müsset ihr meiden, was euch das Innere stört, dürft ihr nicht leiden, dringt es gewaltig ein, müsset ihr tätig sein...* Weiter wußte sie nicht. Dann schrieb sie noch: *Sei gefühllos! Ein leichtbeweglich Herz ist ein elend Ding auf der wankenden Erde.* So gefestigt und entschlossen, gefühllos zu werden, stand sie am nächsten Morgen auf und saß weiter Modell. Kaum aber sah sie Fritz Schöntraum den Pinsel heben, schüttelten sie wieder unfreiwillige Schauer. Doch von nun an blieb sie ruhig sitzen und dachte tapfer an ihre Verse.

Dem Maler, ganz von dieser Männerwelt, blieben ihre Schauer nicht verborgen. Auch ihm sausten die Ohren, der Druck stieg im Innern seines Vulkans, und oft hielt er sich bestürzt die Palette vor seine schwellende Hosentür, um die schöne Mutter nicht zu erschrecken. So waren sie beide gequält von der Liebe oder der Leidenschaft, der sie entsagen mußten.

Nur ein einziges Mal, kurz vor der Fertigstellung des Bildes, verlor die Mutter für einen Augenblick völlig ihre Sinne und ließ den schmachtenden Fritz Schöntraum gewähren, als er den Faltenwurf ihres Kleides ordnete und dabei mit den Händen langsam an ihren Beinen hochfuhr. Ihr Becken schob sich ihm wie von selbst entgegen, sie hauchte »Ja, ja...« und war der Ohnmacht nahe in den Armen von Fritz Schöntraum. Es war ein voller Sturz in die Gefahr gewesen, eine Abtrünnigkeit von sich selbst, die sie zu vergessen und zu verdrängen suchte und die sie ihr Leben lang nicht wieder zuließ.

Der Vater wußte von all den Kämpfen, dem Sturz und dem Entsagen nichts. Trotzdem schien ihm die Mutter, seit sie gemalt wurde, von einer geheimnisvollen Aura umgeben, sie roch ihm anders, er als Jäger hatte dafür ein Gespür, und ihn plagte die Eifersucht. Das Bild gefiel ihm sehr wohl, aber die Sitzungen, zu denen er keinen

Zutritt hatte, dauerten ihm verdächtig lange. Er schlich mit schlechter Laune im Haus herum und warf knallend die Türen hinter sich zu. Auch versuchte er mit dem Fernglas vom Bürohaus in den Wintergarten zu spähen, sah aber vor lauter Kakteen, Blumen und Palmen nicht das, was er befürchtete.

Die Mutter dachte noch lange an Fritz Schöntraum, und als endlich die dritte Tochter geboren wurde, bat sie den Gott, dem sie damals gerade zugetan war, dieses Kind Malerin werden zu lassen. Das neue Kind Johanna – zuerst wollte die Mutter es Gloria Victoria nennen, doch war sie nach dem Erlebnis mit Fritz Schöntraum ein wenig zu geschwächt für solche Siegesäußerungen, Johanna, nach der Jungfrau, fand sie sicherer – mochte ahnen, was es durch das Gebet der Mutter für Schwierigkeiten vom Leben zu erwarten hatte, denn es verfiel schon drei Tage nach der Geburt in nicht enden wollende Krämpfe. Statt an die Mutterbrust, wurde es wochenlang an scheußliche Schläuche gelegt, und ausgerüstet mit derlei widerlichen Früherlebnissen – eins davon war Mariechens roter Wurm –, wurde Johanna kein unbeschwertes Kind.

Johanna kränkelte lange. Doktor Rothschild hatte seine liebe Not, sie am Leben zu erhalten. Nach den Schläuchen wollte sie bloß noch Schokoladenbrei essen, und auch den konnte man ihr nur einschieben, wenn sie lachte. Dazu mußte immer jemand, dem überhaupt nicht zu Späßen zumute war, vom Stuhl fallen oder sonstigen Unsinn machen. Wo die Puppe Wunderhold und Alma Elisabeth die Sicherheit ihres Klimperklaviers und der Untergangsmaschine als Schutz gegen das Leben hatten, wurde Johanna nur ein geheimes Leiden in die Wiege gelegt, denn sie weinte viel aus unbekannten Gründen.

Johanna zeigte schon früh den Willen, sich auszudrükken. Zum Mittagsschlaf allein gelassen, machte sie oft einen großen Haufen in ihr Kopfkissen und bemalte mit der schönen braunen Farbe die Wand neben ihrem Bett, was die Mutter aber noch nicht als Erfüllung ihres Gebets ansah.

Natürlich kann es sein, daß Johanna das Kind von Fritz Schöntraum war, aber mit Bestimmtheit wußte das selbst die Mutter nicht. Auch sprachen die Anzeichen dagegen, denn Johanna war dem guten Vater selbst bis zu den Zähnen des Unterkiefers ähnlich.

Fritz Schöntraum war für viele Jahre aus der Stadt verschwunden, wohl um seine Liebe zu vergessen, und niemand hätte mehr von dieser längst vergangenen Angelegenheit gesprochen, wenn nicht Alma Elisabeth, von der dunklen Macht ihrer Untergangsmaschine getrieben, allen Dingen auf den Grund zu gehen, immer wieder davon angefangen hätte.

»Man behauptet, du seist das Kind des Malers«, sagte sie streng zu Johanna, schon bevor dieser die besondere Funktion eines Vaters wirklich klargeworden war. Um Johanna die Bedeutung dieser Worte begreiflicher zu machen, schlug sie ihr mit einem Band der Propyläen-Kunstgeschichte auf den Kopf.

Johanna und die Puppe waren, was die sexuelle Aufklärung betrifft, ziemlich lange dumm geblieben. Für sie war der Vater nur der Bezahle-Mann gewesen, da die Mutter den Töchtern trotz Fritz Schöntraum weiterhin die Rolle des Mannes als Erzeuger unterschlug. Alma Elisabeth dagegen hatte sich frühzeitig auf diesem Gebiet fortgebildet. Die Hemdhosenstrafe hielt nur für kurze Zeit ihren Wissensdrang zurück. Sie scheute keine Mühe, alles über das geheimnisvolle Spiel mit dem Unterkörper herauszufinden und lauerte beharrlich vor Türen, hinter denen sie es keuchen und stöhnen hörte. Wenn des Nachts ein Abwegiger aus einem der Zimmer in der oberen Etage – den Mädchen- oder Tantenzimmern – schlich, so konnte er sicher sein, über Alma Elisabeth zu stolpern. Sie bestand darauf, auch den Maler mit der Mutter beobachtet zu haben, wie sie zusammen unter der Palme gemuschelt hätten. Dies muß aber nicht unbedingt der Wahrheit entsprechen, denn selbst dem Vater war es ja mit seinem Fernglas nicht gelungen, in den Wintergarten einzusehen. Johanna bekam einen großen Zorn auf den Maler. Sie reihte den Zweifel über ihre Herkunft an eine Kette anderer, für sie düsterer und unverständlicher Dinge an und wurde immer trübsinniger.

Die Mutter, die von Alma Elisabeths Behauptungen nichts wußte, fand Johannas Wesen befremdend. Da sie aber gelesen hatte, daß Künstler oft schon beladen und unglücklich geboren werden, wagte sie zu hoffen, daß ihr Wunsch vielleicht erhört worden sei. Sie ging mit Johanna vorsichtig und milde um, das heißt, sie sagte täglich einmal weniger zu ihr »du mußt« als zu den anderen Kindern.

Du mußt dich gerade halten, du mußt artig sein, du mußt lernen, du mußt essen, du mußt aufs Klo, du mußt schlafen, du mußt die Zähne putzen. Du mußt, ein Wort, das Alma Elisabeth zur Tapferkeit und die Puppe zu Gehorsam antrieb, bei Johanna aber offensichtlich Übelkeit, Melancholie und allerlei Zuckungen hervorrief.

Sonst kümmerte die Mutter sich wenig um das Werden

der Kinder. Eventuelle Gaben, die diese haben mochten, waren für sie so etwas wie Tulpenzwiebeln in der Erde, eines Tages würden sie schon ganz von selbst hervorkommen, ohne daß man viel hinzutat. Fähigkeiten zu fördern oder die Kinder einen richtigen Beruf erlernen zu lassen, hielt sie für überflüssig. Sie selbst hatte auch nie etwas gelernt und war eine wunderbare Frau geworden, etwas Besseres als sie konnte es überhaupt nicht geben, also sollte bei den Kindern alles so gemacht werden wie bei ihr.

Die Mutter war die Beste, die Schönste, die Klügste. Sie duldete keine Kritik. Als die Puppe Wunderhold, die einen Hang zur Ehrlichkeit hatte, einmal wagte, zur Mutter zu sagen, sie stänke nach Zwiebeln, die sie gern und in großen Mengen aß, brachte ihr das auf der Stelle eine fürchterliche Ohrfeige ein. Die Mutter stank einfach nicht.

Ich weiß, daß so eine Zwiebelohrfeige nicht viel Gewicht im heutigen Zeitgeschehen und unter unseren täglichen Katastrophen hat. Dreht man nur einmal die Nachrichten an, wie heute, am 7. März, mittags, so heißt es: ein Toter, erschossen vom betrunkenen Vater, 14 Tote im Bus mit Krüppelkindern, weil der übermüdete Fahrer einschlief, 4000 Tote, mindestens, Opfer eines Erdbebens, 160 Tote bei einem Flugzeugunglück – dagegen und gegen sonstige Schrecken erscheint eine Zwiebelohrfeige nichtig. Und trotzdem konnte, wenigstens damals noch, eine so geringfügige Angelegenheit das ganze Leben eines Menschen beeinflussen. Niemals wäre es Depardieu in dem Maße gelungen, die Puppe zu unterdrükken, ohne die Zwiebelohrfeige.

Jahrelang geschah im Hintergrund nicht viel mehr, als

daß die Mutter wunderbar war. Ab und zu rannte die Großmutter noch durch den Garten. Sie hatte die Verfolgung des Vaters nicht eingestellt. »Halt – einmal nur, hier, hinterm Rosenbusch, der so schön blüht...«

Der Rosenbusch, der so schön blühte, der Blütenbaum, der so schön träumte, der rote Wurm, der so schön kroch, die große Platane, die im Sommerwind wehte und unter deren Schatten die Gäste saßen und Krebse aßen – kurz vor dem Sturm, als die staubverdeckte Sonne der Stadt noch friedlich schien.

Eine Zeitlang, einen Sommer, lief außer der Großmutter noch eine von Onkel Nathans Schönen im Garten herum, aber nicht, wie die Großmutter, einen Wahn jagend, sondern nur ein ungezogenes Kind – das erste Kind von Onkel Nathan. Er zeugte mit den Jahren so viele Kinder, daß er gut einen neuen Stamm David hätte gründen können, wenn die Zeiten und sein Familiensinn nicht so miserabel gewesen wären und wenn er die Seinen besser hätte zusammenhalten können. In diesem einen Sommer hatte er die kindbelastete Schöne der Mutter überlassen, während er selbst eine kurze Zeit im Gefängnis verbringen mußte, denn er war wieder einmal vom rechten Weg abgekommen. Es war ihm zu langweilig geworden, immer nur den guten Vater zu betrügen, und er hatte schon zu lange von einem ganz großen Coup geträumt. Dieses Mal was es kein Tizian, sondern ein Rubens gewesen, den er an einen völlig fremden Reichen verkauft hatte und dessen Zorn über den Schwindel größer war als der Einfluß des Vaters.

Zwei Polizisten waren ins Haus der Eltern gekommen mit einem sehr einfach und gar nicht nach einem Bilderfälscher aussehenden kleinen Mann, den sie auf grobe Art und Weise vor sich herstießen und nicht mit der ihm gebührenden Achtung behandelten. Sie fragten ihn vor jedem Bild, ob er es gemalt habe, was der kleine Mann fast immer bejahte. Das Treppenhaus, in dem sie den Mann herumstießen, war sehr groß. Puppe Wunderhold sagte, es sei das schönste Treppenhaus gewesen, das sie je gesehen habe, und konnte nie begreifen, warum es ganz aus ihrem Leben entschwunden war. Es war über und über mit Bildern bedeckt, hauptsächlich mit deutschen Romantikern, die die Mutter so sehr liebte. Aber alle hatte Onkel Nathan dem Vater verkauft, und alle waren deshalb falsch.

Die Mutter schmerzte und beschämte Onkel Nathans eigenartiger Broterwerb sehr, aber sie gab trotzdem die Hoffnung nicht auf, aus ihm doch noch eines Tages einen ehrlichen Menschen zu machen, und Onkel Nathans größtes Talent war, die Mutter von einem Betrug zum anderen zu überzeugen, daß er bereits ein ehrlicher Mensch geworden sei.

Onkel Nathan überlebte den Sturm, von dem gleich erzählt werden soll. Er kam nach dem Krieg aus Kuba zurück, wohin ihn der Vater noch rechtzeitig hatte schikken können. Die Großmutter Anna überlebte den Sturm nicht, aber sie wurde nicht vergessen, denn niemandem eiferten die Kinder in ihren einsamen Stunden mehr nach als der guten Großmutter. Johanna allerdings wußte lange nichts vom Übel der Großmutter. Sie erfuhr erst viel später davon, als die Schwestern einmal darüber klagten, wie seltsam unaufgeklärt sie die Mutter in sexuellen Dingen gelassen habe. Durch Johannas Erinnerung lief die Großmutter zunächst weiter durch den abendlichen Garten, zart, in langem schwarzem Kleid, mit einem großen Glas voll bunter Bonbons in der Hand für die Vögel. Sie streute die Bonbons auf alle Wege, und Johanna und Mariechen sammelten sie heimlich wieder auf.

Eines Morgens lag die gute Großmutter aufgebahrt in der Bibliothek des Hauses.

»Ihr Kopf ist ein Marzipanapfel geworden, ganz gelb und rot«, sagte Johanna und wollte hineinbeißen. Johanna war noch klein und kannte den Tod nicht. Man hatte der Großmutter wohl die hohen Backenknochen rot gemalt, oder vielleicht war auch das Blut aus ihnen nicht gewichen.

Glücklicherweise hatte der Vater kurz vorher die Krankenschwester hinausgeworfen, so daß die Großmutter einen ihr würdigen Tod haben konnte. Sie schien zufrieden, und ihre schönen, vielbeschäftigten Hände lagen nun ruhig und durchsichtig wie Engelsfedern über dem Leib des gekreuzigten Jesu.

Mit dem Tod der Großmutter zogen schon die ersten Wolken am Horizont herauf. Dann wurde alles sehr schnell dunkel, der Sturm brach mit aller Macht herein. Große Risse waren in der Erde zu sehen, der Hintergrund wurde ein böses, schwarzes Bild. Plötzlich war es ernst, ein einziger Donnerschlag hatte alles verändert. Das Haus war wie leergeblasen. Isoliert, tot, grau stand es da, ein Pesthaus, ein Haus der Aussätzigen. Alle verließen es eilig mit Koffern, die Tanten, die Mädchen, die Köchin, die Freunde. Niemand kam mehr herein, nur manchmal schlich sich ein Getreuer am späten Abend noch zum Hintereingang. Es gab keine Verehrer der schönen Schwestern, es gab keine Freunde mehr. Kein Doktor Rothschild saß mehr auf dem Wäschepuff, kein

Pfarrer Ehrenberg versuchte mehr, die Seelen zu retten, Onkel Nathan waren die Möglichkeiten zum Betrügen genommen, die Klingel am Bett der Mutter läutete niemals mehr. In diese harmlose Geschichte war der Blitz eingeschlagen. Alma Elisabeths böse Vorahnungen waren Wirklichkeit geworden. Das ganze gute Leben hatte ein Ende.

Die Mutter ging nun, solange sie noch in der Stadt war, nie mehr aus dem Haus. Der Vater mußte alle Besorgungen machen, holte Milch, Fleisch, Käse, Brot in den Geschäften, auf denen groß stand, daß Juden unerwünscht seien.

Manchmal, wenn er mit Tüten beladen in seiner Manteltasche nach dem Haustürschlüssel kramte, hörte er von der gegenüberliegenden Straßenseite den alten Bolle, einen der Feiglinge, einen der ehemaligen Freunde, verstohlen rufen: »Mut, nur Mut!«

Der Vater bekam zu dieser Zeit die gelblichweiße Gesichtsfarbe ohne die roten Backen, die die Großmutter im Sarg gehabt hatte. Seine blauen Augen sanken tief in schwarze Höhlen, aus denen sie verletzt und müde herausschauten. Ihn traf das Unglück am härtesten, und er wußte nicht ganz, woher er den Mut, den der alte Bolle ihm wünschte, nehmen sollte. Für ihn war die Welt, von kleinen Ausnahmen abgesehen, immer gut gewesen. Vom Teufel hatte er keine Ahnung. Daß er ihm plötzlich begegnete, ja, daß ein ganzes Volk, sein Vaterland, auf das er immer so stolz gewesen war, auf einmal ganz und gar von Teufeln übersät war, von Teufeln, die ihn verfolgten, bloß weil er vor vielen Jahren die schöne Mutter geheiratet hatte, das konnte er nicht fassen. Aber für keine Sekunde kam es ihm in den Sinn, die Mutter zu verlassen und sich so der Schwierigkeiten zu entledigen. Man nahm ihm seine Fabrik, man nahm ihm alles, aber er verließ die Mutter nicht. Ein Leben ohne sie wäre ihm unmöglich gewesen, und als er sich zeitweilig von ihr trennen mußte, fing der Tod schon an, ihm vor Kummer sein Herz zu erdrücken.

Die Mutter wurde nun noch mehr zur Hauptperson. Sie war plötzlich nicht mehr nur die verwöhnte, herrische Schöne, die alle herumkommandierte und fraß. Sie war auch Heldin, Verfolgte in Lebensgefahr. Auf sie war ein Rudel Wölfe losgelassen worden, und sie mußte laufen, um sich zu retten. Aber das Ungeheure, dem sie ausgesetzt war und das alle so verzagt machte, erfüllte sie mit herkulesartiger Kraft. Sie wußte, daß, während der Sturm tobte, ihr guter Stern sie schützen würde. Von jeher war sie überzeugt gewesen, einen für sie ganz eigenen, besonders guten, leuchtenden Stern über sich zu haben, und verwunderlicherweise verlor sie diesen Glauben nie, trotz des scheußlichen Sterns, den man ihr auf die Brust heftete. Sie war fest entschlossen zu überleben. *Ich kann nicht liegt auf dem Friedhof, ich will nicht liegt daneben.* Für den Fall, daß ihr guter Stern doch versagen würde, hatte sie Gift. Sie trug es in einem kleinen Lederbeutel an einer Schnur um den Hals.

Später, als die Mutter weit weg auf ihrem Berg saß, ohne genau zu wissen, ob sie die Kinder und den Vater je wiedersehen würde, und die Traurigkeit sie überkam, der Mut sie manchmal verließ, wurden ihr ihre Sprüche allerdings oft verdächtig. Jeder sei seines Glückes Schmied, hatte sie den Kindern immer gesagt. Nun hörte sie den grauenhaften Schreihals seine Mordparolen durch das Radio brüllen, und das Entsetzen packte sie. Sie selbst war wohl stark, und ihr Stern war wohl gut, und so hoffte sie zu überleben. Was aber konnten die anderen, die Opfer, ihre vielen Verwandten tun? Wie kann einer noch sein Glück schmieden, wenn er zum Schlachten geführt wird, dachte sie, oder wie hat sich je einer in einer Gaskammer betten wollen, wo es doch heißt: *Wie man sich bettet, so liegt man.* – Sie hatte eine schwere Zeit, die gute, schöne Mutter, und schwere Gedanken. Und sie hatte niemanden, mit dem sie darüber reden konnte, denn Fräulein Künkel betete immer, und der Bauer, bei dem sie untergeschlüpft war, durfte nicht wissen, wie es um sie stand.

Auf dem hohen Berg saß die Mutter mit Fräulein Künkel, der Betschwester. Auch Fräulein Künkel war eine der Tanten und hatte den Vater geliebt. Sie war aber aus Sühne fromm geworden und hatte es sich zur Pflicht gemacht, die Mutter zu verstecken, obwohl darauf die Todesstrafe stand. Sie wußte von einem einsamen Bauernhof, hoch oben in Bayern, fast in den Wolken, und dorthin hatte sie sich eines Tages mit der Mutter aufgemacht. Damals war der Krieg schon ausgebrochen. Sie wurden beide für Evakuierte gehalten, für aus der zerstörten Stadt Vertriebene. Dem griesgrämigen Bauern und seiner Frau war alles recht. Sie kümmerte wenig, was unten in der Welt vor sich ging, auch dachten sie nicht darüber nach, warum die Mutter wohl keine Lebensmittelkarten hatte. Es war so vieles durcheinandergeraten mit den Städtern, denen die Bomben auf die Köpfe fielen – Hauptsache, er bekam sein Tagegeld von den fremden Frauen und obendrein noch Schmuck und einen schönen, warmen Mantel für seine Frau. Dafür durften sie von seiner Kartoffelsuppe essen und in Frieden schlafen und sich im Winter am Ofen wärmen. Im Sommer konnten sie so manches helfen auf dem Hof.

Die Mutter tat die Arbeit gern, sie hielt sie vom Nachdenken ab. Unerträglich aber waren die Winterabende und der Schnee – der meterhohe, schreckliche, alles erstickende, lautlose Schnee. Da dachte die Mutter oft, sie sei schon gestorben, und sie und der Bauernhof und Fräulein Künkel lägen in einer anderen Welt.

Als der Krieg ausgebrochen, als die Mutter auf ihren Berg gegangen war, als der Wind auch die Puppe und Alma Elisabeth verweht hatte, als das Haus von Bomben zerstört worden war, zog der Vater mit Johanna und einer anderen getreuen Tante in die Hessenwälder und fuhr nur manchmal für seine Geschäfte in die Stadt. Wurde er von den bösen Teufeln nach der Mutter gefragt, so sagte er, die Mutter sei tot – unauffindbar läge sie wohl begraben unter Trümmern nach einem Bombenangriff. Johanna, die nach der Mutter verlangte, aber erzählte man, sie sei nur für eine Weile zu Besuch irgendwo, daß man dies jedoch niemandem sagen dürfe. Zu Besuch heißt, daß sie wiederkommt, sagte der Vater dem weinenden Kind, aber nichts konnte Johanna trösten.

Die arme Johanna hatte kein Glück. Kaum hatte das Leben begonnen, sie zu freuen, beim Spiel mit Mariechen im Garten, kaum hatte sie angefangen, Fritzchen Riepe zu lieben, da wurde ihr wieder alles entzogen – Mariechen, der Garten, Fritzchen, das schöne Elternhaus, und nun war auch noch die Mutter unerreichbar, womöglich schon bei den Engeln. Johanna heulte nachts in ihrem Bett oft lauter als die Hunde des Dorfes.

Der verzagte Vater wußte weder sich noch Johanna zu helfen. Er hätte in seinem Unglück manchen Tobsuchtsanfall bekommen mögen, um sich Luft zu machen, aber er wußte, daß er gegen das Übermächtige, dem er ausgeliefert war, nicht anwettern konnte, und darum blieb er stumm. Er starrte nur oft stundenlang mit weitgeöffneten Augen an die Decke, so, wie er es schon getan hatte, als die Großmutter ihn hinter den Rosenbusch zerren wollte. Die einzige Wohltat war, daß er die dicke und sehr weiche Tante bei sich hatte, auf die er sich jede Nacht legen konnte.

Der Puppe und Alma Elisabeth erging es inzwischen in der Fremde nicht viel besser als Johanna im Hessenwald. Zwar waren sie schon groß und schön und heiratsfähig, aber da die Mutter sie gehindert hatte, erwachsen zu werden, war ihnen genauso traurig ums Herz wie Johanna. Wie verlorene brüllende Kälber liefen die Schwestern auf den Weiden Frankreichs und Amerikas umher, die Mutter suchend, bis sie notdürftigen Ersatz fanden – die Puppe in Depardieu und Alma Elisabeth, wenn auch nur für kurze Zeit, in O'Hara.

Die Puppe, mit ihrem Klimperklavier im Bauch, fand sich noch am ehesten zurecht in der neuen Welt. Sie hörte nach einer Weile wieder die Vögel singen und sah die Blumen blühen, selbst in Frankreich. Leiden wollte und konnte sie nirgendwo allzu lange. Wie eine Tänzerin balancierte sie geschickt auf der langen Nabelschnur der Mutter herum und schaute rechts und links nach den guten Seiten des Lebens.

Alma Elisabeth, mit der Untergangsmaschine und dem Stachel im Herzen, grollte lange über ihr Auswandererschicksal und wurde nie recht froh in Amerika. Sie dachte nicht nur sehnsüchtig an ihr Elternhaus, sondern auch an ihre ganze schöne Heimat, in der die anderen jungen

Mädchen ihres Alters unter flatternden Fahnen marschierten, und sie hätte viel darum gegeben, an einer weniger jüdischen Nabelschnur zu hängen.

Nun werde ich von Depardieu erzählen und den Hintergrund verlassen, bevor er anfängt, dem Leser zum Hals herauszuhängen, wie dem Prinzen Julius die Tante Lisbeth. Der Prinz saß sturzbetrunken, aber kerzengerade, nur manchmal leicht vorwärtsschwankend, geduldig zuhörend auf der Dichterlesung von Gustave Ziborrah – von dem später noch berichtet wird –, bis er plötzlich laut stöhnend kundgab, jetzt hinge ihm die Tante Lisbeth zum Halse heraus.

Ich habe manches, das besser hätte erklärt werden können, in der Eile nur auf den Haufen geworfen. Zum Beispiel weiß niemand etwas Rechtes von Doktor Rothschild, außer, daß er kurze Beine hatte, keiner weiß, wer Fritzchen Riepe oder wer die Tanten eigentlich waren, auch könnte erzählt werden, wie die Mutter wieder von ihrem Berg herunter kam und daß der Vater damals schon sterbenskrank war oder daß Fritz Schöntraum noch einmal auftauchte und in den Trümmern des einsamen Hauses umhergeisterte. Er wühlte nach seiner Erinnerung und nach dem Bild der Mutter, das er aber vergebens suchte. Der Vater hatte es vor den Bomben gerettet und auf den Dachboden des Hessenhauses befördert. Dort fand es, als die Zeiten sich wieder zum Guten gewendet hatten, der Onkel Nathan und verkaufte es sofort an einen Ahnungslosen als einen echten Gustav Klimt.

2. Kapitel
Puppe Wunderhold und Anatole Depardieu
Eine Ehe

Es war einmal ein wunderschöner Sommertag, und die Welt hätte für Depardieu in Ordnung sein können, wenn die Langeweile nicht gewesen wäre. Er saß vor dem Haus seiner Mutter, hatte ein Whiskyglas in der Hand, und nur die Möwen, die am Wasser hockten, schauten noch mißmutiger drein als er. Anatole Depardieu wußte nicht, was er mit sich anfangen sollte. Er langweilte sich. Das aber war nichts Neues für ihn, denn er langweilte sich fast immer. Er wippte etwas mit dem Fuß und besah sich seine neuen, schwarzweißen Schuhe, aber daß diese neu waren, stimmte ihn auch nicht lustiger, denn sie taten ihm weh. Zu den neuen Schuhen trug er an diesem schönen Sommertag einen weißen, eleganten Anzug, mit dem er zufrieden war, weil er sehr gut saß und ihn nirgendwo zwickte. Depardieu war von großer, schlanker Gestalt, hatte schwarze gelockte Haare, auf die er Pomade tat, um sie zu glätten, dunkelbraune, etwas schlitzartig geschnittene Augen und war, wenn er den Mund zubrachte, ein gutaussehender junger Mann. Depardieu hatte Schwierigkeiten, den Mund zuzubringen, weil seine vorstehenden Zähne immer ins Freie wollten. Darum behielt er den Mund meistens etwas auf. Auch fiel es ihm auf diese Weise leichter zu atmen, denn seine Nase war unten zwar sehr breit, oben dafür aber viel zu eng. Diese Nase und die schlitzartigen Augen gaben ihm etwas von einem Mongolen, was später, als ihm die Zähne aus dem Mund gefallen waren, noch verstärkt werden sollte.

Depardieu saß vor dem Haus seiner Mutter und nahm einen Schluck Whisky zu sich. Er sah auf seine Armbanduhr und dachte, daß er bis zum Abendbrot noch zwei Stunden so dasitzen und auf den langweiligen Ozean starren müsse. Am Morgen hatte er Tennis gespielt, aber auch das Tennisspiel langweilte ihn nach einer Stunde. Depardieu fehlte jeglicher Sinn für den Wettkampf, nichts interessierte ihn, und fast fand er die Ferien noch langweiliger als seine Apothekertätigkeit. Am Strand liegen oder schwimmen mochte er auch nicht. Wasser und Sonne waren ihm zuwider. Seine Haut am Körper war so weiß wie sein Anzug, denn er weigerte sich, eine Badehose anzuziehen, obwohl seine Mutter jeden Tag wieder versuchte, ihm die Vorzüge einer Badehose anzupreisen. Sie insistierte allerdings nie lange, da sie alle Entschlüsse ihres Sohnes respektierte und letztlich für richtig hielt.

Amelie Depardieu war eine stolze, turmhohe, blonde Dame, die den Widerschein der Glorie einer ganzen Schar von Apotheker-Ahnen auf ihrem strengen, länglichen Gesicht trug. Ihr Mann, der nur Provisor war, hatte dem Druck dieser Schar nicht lange standgehalten und war zwei Jahre nach Anatoles Geburt in der Apotheke des Schwiegervaters tot umgefallen. Amelie Depardieu lebte seither nur in Anbetung und Bewunderung ihres Sohnes – eine Bewunderung, die Depardieu oft rätselhaft vorkam, an die er sich aber schließlich gewöhnt hatte wie an seine Langeweile.

Depardieu starrte weiter mißmutig auf den Ozean, trank noch einen Schluck Whisky, gab sich für eine Weile seiner Leidenschaft, dem Nasenbohren, hin und döste schließlich etwas ein.

Das Läuten eines Glöckchens weckte ihn wieder. Verschlafen öffnete er seine Schlitzaugen und hatte plötzlich eine Erscheinung. Ein Engel stand vor der Gartentür mit einer Botschaft in der Hand, er war ganz von goldenen Strahlen umflutet und blendete fürchterlich. Depardieu erschrak ein wenig, fand aber schnell das Erscheinen eines Engels in seinem langweiligen Leben völlig überflüssig und machte die Augen wieder zu.

Depardieus Erscheinung war kein Engel, sondern die Puppe Wunderhold, die im Gegenlicht stand und eine riesige, weiße Schleife vor der Brust hatte. Sie hatte die Glocke am Tor gezogen, und als der Mann im Garten gar nicht aufwachen wollte, ging sie leise an ihm vorbei bis ans Haus, wo sie Amelie am Fenster stehen sah.

Amelie empfand den Besuch des fremden Mädchens als störend, aber sie dachte an Depardieus Langeweile – auch war ihr die Puppe von einer guten Freundin geschickt worden, und so bat Amelie sie, zum Abendessen zu bleiben.

Depardieu besah sich nun die Puppe mit einer ihm unbekannten Freude. Er beobachtete sie, so wie die Möwen die silbernen Fischchen beobachteten, auf die sie sich dann stürzen, und als er beim Abendessen sein Süppchen löffelte, geschah folgendes in seinem Kopf: Er wußte, daß er im langweiligen Leben, damit es nicht noch langweiliger wurde, eines Tages eine Familie zu gründen hatte, genau wie er für seinen Lebensunterhalt arbeiten mußte, was ihn zutiefst verdroß.

Da er sehr faul war und jede Anstrengung, selbst den Erwerb einer Ehegattin betreffend, vermeiden wollte, die hübsche Puppe ihm aber nun einmal gegenübersaß, ohne daß er dazu hätte einen Finger rühren müssen, und da er obendrein noch erleichtert war, daß ihm kein Engel, sondern ein brauchbares Wesen so einfach in den Schoß geworfen wurde, beschloß er, die Puppe zu behalten. Schwierigkeiten, dieses Vorhaben zu vollziehen, sah er von Anfang an keine. Depardieus Selbstbewußtsein war durch Amelies ständige Bewunderung ungeheuer gestärkt, und die Idee, irgend etwas könne sich ihm widersetzen, kam ihm nicht in den Sinn. Auch roch er – so wie der Herr den wahren Knecht –, daß die Puppe ein artiges Wesen hatte und ihm gefügig sein würde. Depardieu hatte sein Opfer gefunden.

Im Kopf der Puppe geschah zur selben Zeit etwas Ähnliches. Wie man weiß, hatte sie ihr Vaterland verlassen müssen. Das Heimweh im Herzen, die Existenzangst im Nacken balancierte sie schon eine Zeitlang tapfer auf der Nabelschnur der fernen Mutter herum und hielt sich dank ihrer fröhlichen Klimperklaviernatur von allzu tiefen Stürzen ab. Trotzdem fühlte sie langsame Ermüdungserscheinungen. Also faßte sie einen Plan, der ihr das Leben erleichtern sollte. Dabei rutschte sie auf der glatten Nabelschnur geradewegs in ihr Elend, welches sie aber, dank ihrer guten Natur, fast ihr Leben lang für ihr Glück hielt.

Die Puppe hatte es also satt, sich allein im fremden Land durchzuschlagen, sie sehnte sich nach einem Zuhause. Deshalb hatte sie ihre Ersparnisse in ein Täschchen gestopft und war in einen Badeort am Meer gefahren mit der festen Absicht, dort innerhalb von höchstens zwei Wochen einen Ehemann zu finden. Sie dachte an das Sprichwort der Mutter, daß man alles könne, was man nur wolle, und alles, was sie nunmehr wollte, war, möglichst schnell einen Mann zu finden. Vielleicht hatte sie sich nicht gerade Depardieu erträumt, seine Zähne schreckten sie etwas, andererseits hatte sie sich keine feste Vorstellung gemacht und hatte auch keine zu großen Ansprüche. Im übrigen fand sie Depardieu bis auf die Zähne wirklich schön.

Nach acht Tagen ergebnislosen Suchens fühlte sie sich nun ihrem Ziel nahe, und während sie sich bemühte, keine Suppenflecken auf ihre große Schleife zu bekommen, überlegte sie angestrengt, wie sie es fertigbringen könne, Depardieu an ihrem Vorhaben zu interessieren.

Amelie wiederum, die kerzengerade am Tisch saß, geriet mit ihrem Kopf in die Gedankenströme der beiden anderen Köpfe und wurde unruhig. Als an einem der nächsten schönen Sommertage die Puppe und Depardieu sich einig geworden waren, gemeinsam ihr Lebensglück zu machen, und dieses Amelie mitteilten, war dieser, als sei sie mit einem kostbaren Porzellan in der Hand auf einer Bananenschale ausgerutscht und als habe sie beim jähen Fall diese Kostbarkeit am Zerbrechen nicht hindern können.

Sie verwünschte ihre gute Freundin und bereute es, ihrem ersten Eindruck, das fremde Mädchen als Störenfried zu empfinden und fortzuschicken, nicht nachgekommen zu sein. Sie begriff durch den plötzlichen Schock die Nichtigkeit allen Besitzes, die Nutzlosigkeit aller Opfer, und fühlte sich ausgestoßen und beleidigt.

Amelie hätte einmal, ja, mehrere Male selbst wieder heiraten können, hatte es aber vorgezogen, alle anderen

Freuden dem alleinigen Zusammenleben mit ihrem Sohn zu opfern. Den Gedanken an eine mögliche Ehe ihres geliebten Sohnes hatte sie immer weit von sich geschoben und gehofft, daß, wenn es überhaupt einmal geschehen müsse, sie es nicht mehr erleben würde. Ihr Sohn war für sie das Beste vom Besten. »Ich trage eine unsichtbare Krone«, pflegte sie zu sagen, wenn sie seine Herrlichkeit lobte. Sie konnte sich keine Frau auf Erden vorstellen, die gut genug für ihn wäre. Daß seine Herrlichkeit so schnell, so unvermutet von ihr auf dieses fremde Mädchen übergehen sollte, war für sie unfaßlich.

Abgesehen von der Unbegreiflichkeit, daß Depardieu heiraten wollte, war Amelie auch seine Wahl unbegreiflich. Sie fand die Puppe zwar niedlich, das mußte sie zugeben, aber sie war doch viel zu klein, zu unscheinbar, fast ein Zwerg, dazu noch deutsch, etwas jüdisch, so schien es, nicht mal katholisch, arm, und sehr gescheit war sie sicher auch nicht.

Nun aber war Amelie eine stolze, mit sich selbst gestrenge Frau, und so entschied sie, ihren Gram und ihre fürchterliche Enttäuschung allein zu tragen und ihren Sohn nichts davon wissen zu lassen. Auch hätte dieser kaum begriffen, um was es sich handelte. Depardieu kannte wenig Gefühle, und schon gar nicht die Gefühle seiner Mutter. Daß er, der außer seiner Langeweile keine der Herrlichkeiten besaß, die Amelie in ihm sah, mit der Puppe das große Los gezogen hatte, konnte Amelie nicht ahnen.

Ziemlich bald wurde es offensichtlich, daß Depardieu sich für ein Zusammenleben schlecht eignete, obwohl dies vielleicht nicht seine Meinung war. Seine Langeweile wuchs trotz der Ehe wie ein Stinkepilz und verpestete die

Luft. Es gelang ihm immer nur für kurze Zeit, sie etwas zu mildern – durch regelmäßigen Beischlaf zum Beispiel. Der aber dauerte letzten Endes nicht lange genug und war auch immer wieder das gleiche.

Außerdem machte es ihm Spaß, durch irgendeine unsinnige Behauptung zu erreichen, daß sich die Puppe ärgerte und einen roten Kopf bekam, und ebenso machte es ihm Spaß, dem Hund kleine Fußtritte zu versetzen, so daß er wütend kläffte und zornig seine Lappen beutelte, die Depardieu ihm übrigens immer auf Vorrat kaufte. Aber sonst bot der Tag wenig, was seinem Herzen die leiseste Bewegung hätte bringen können.

Wohl hatte er nun alles, was man haben muß, um glücklich zu sein – ein Haus, ein gutes Einkommen, ein schönes Auto, eine Frau, einen Hund, zwei gesunde Kinder, keine Freunde, tiefsten Frieden. Aber Depardieu fand selbst Glück langweilig, und das einzige, was ihm das langweilige Leben erträglich machte, war und blieb der Alkohol. Allerdings verstärkte der Alkohol in größeren Mengen wiederum seinen Mißmut, und Depardieu verbrachte oft Stunden damit, über diesen ganzen Widersinn laut vor sich hin zu fluchen.

Der einzige Mensch, der Depardieus Langeweile, Depardieus Mißmut, Depardieus Tyrannei auf die Dauer standhalten konnte, war die mit ihrem Klimperklavier so wohl ausgerüstete Puppe. Sie saß zwitschernd wie ein Vogel auf Depardieus Patriarchenmauern und lobte seine guten Seiten. Sie bewunderte ihn sogar fast ebenso, wie es Amelie getan hatte, und war froh, daß er ihr die Geborgenheit gab, die sie sich so sehr gewünscht hatte.

Die Ehe war für die Puppe Wunderhold nicht viel anderes als die Schule, in die sie als kleines Mädchen jeden Morgen munteren Herzens losgezogen war, nur daß in der Ehe die Aufgaben eben etwas anderer Art waren als in der Schule. Im übrigen hatte sie nie die Nabelschnur der Mutter ganz losgelassen, war an Anhänglichkeit gewöhnt und zufrieden in der Abhängigkeit. Da ihr in ihrer Kindheit der erste Versuch zur Auflehnung die unvergeßliche Zwiebelohrfeige eingebracht hatte, fand sie es einfacher, sich zu fügen, und so war sie geübt im Gehorsam.

Die Puppe ließ sich nicht verdrießen und spielte fröhliche Weisen auf ihrem Klimperklavier zu Depardieus Gemuffel. Erst viel später fing sie an, sich über seine ewige Langeweile zu wundern. Zuweilen wurde sie dann sogar melancholisch und sagte, es sei ihr manchmal, als ob sie keine Luft mehr bekomme. Aber das war schon zu Zeiten ihres Schwiegersohns, eines Maoisten, der heftig gegen Depardieus Patriarchenmauern anrannte und der Puppe das Unwesen der Unterdrückung erklärte. Wie viele gute Menschen zog sie es jedoch auch dann noch ziemlich lange vor, ihre Atemnot für einen inneren Kropf zu halten.

Seit dem schönen Sommertag am Meer, als das gemeinsame Leben Depardieus und der Puppe begonnen hatte, ist nun sehr viel Zeit in dieser Geschichte vergangen.

Die Jahre haben sich zusammengezogen, so wie sich im Traum das Ereignis von übermorgen abspielt im längst zerstörten Elternhaus. Der Blütenbaum, der so schön träumte, der Rosenbusch, der so schön blühte – da, wo das Elternhaus stand, ist jetzt eine Hochgarage oder eine Autobahn oder vielleicht auch gar nichts mehr, ich weiß es nicht.

Allen in dieser Geschichte hatte die vergangene Zeit Zeichen eines gewissen Alters eingegraben, nur die Puppe Wunderhold war jung geblieben wie eh und je, so, als ob sie außerhalb der Zeit gelebt hätte oder von ihr vergessen worden sei. Depardieu schlich sich oft sehr früh am Morgen, während die Puppe noch fest schlief, in ihr Zimmer und betrachtete sie durch eine Lupe. Er wollte genau nachforschen, ob nicht da oder dort doch Falten gekommen seien oder ob die Haut nachließe oder ob ein weißes Haar zu entdecken sei, aber er entdeckte nie etwas dergleichen.

Es war Depardieu unheimlich und ärgerlich, daß die Puppe gar nicht alterte und daß sie so jung, fast jünger aussah als ihre eigene Tochter. Es ärgerte ihn, daß kein Mensch, auch kein Arzt, wußte, warum das so war. Er selbst hatte seinen Verfall bereits mutwillig einsetzen und sich die oberen, störenden Zähne ziehen, die unteren verfaulen lassen. Dabei war so etwas wie vorzeitiger Zahnverfall in der Zeit, in der er lebte, gar nicht mehr nötig, denn die Menschheit war inzwischen ausgerüstet mit Mundwasch- und Spülanlagen, elektrischen Zahnbürsten und sonstigen Wundermitteln, zu denen er als Apotheker besonders günstigen Zutritt hatte. Depardieu aber glaubte nicht sehr an den Fortschritt der Medizin und bestand auf seiner schwarzen Höhle, die er unbekümmert aufriß, als sei sie die Pforte zum Tal der Rosen und nicht die zur Höllenfinsternis. Nur wenn er beim Essen saß und zufällig über etwas im Fernsehen lachen mußte, klemmte er sich eine Serviette vor den Mund. Er tat das aber weniger aus Rücksicht auf diejenigen, die mit ihm am Tisch saßen, als vielmehr, um den Schinken am Herausfallen zu hindern oder um das Lachen wieder in sich hineinzudrängen. Er erlaubte jeweils nur vier kurzen Tönen, frei herauszukommen aus seiner schwer zu erheiternden Brust: Ho-ho-ho-ho. Danach grunzte er hinter seiner Serviette weiter.

Außer während der Tätigkeit des Essens hielt Depardieu übrigens die ganze Zeit die Serviette zwischen Nase und Kinn; er stützte seine Kiefer gewissermaßen auf seiner Serviette ab, so wie man ein Stück Filztuch zwischen Tischbein und Parkettboden legt, um Kratzer zu vermeiden. Depardieu saß nach dem Essen oder zwischen den Gängen etwas abgerückt vom Tisch, dem Fernseher zugewandt, immer sehr krumm da, den Ellbogen auf das Knie, das Kinn auf die Hand mit Serviette gestützt.

Nun also war jeder, wie ich soeben sagte, von der Zeit angenagt, verfallen oder verschrumpelt – Depardieu, die Mutter, Alma Elisabeth, Johanna, bloß die Puppe nicht. Sie war ein wahres Wunder der Menschenart. Nicht allein ihr Gesicht, sondern auch die Haut ihres Körpers war mädchenhaft jung geblieben. Aber dieses Wunder, dieses Zauberwerk, war völlig umsonst, völlig ohne Sinn und Nutzen, denn weder sie noch Depardieu wußten etwas mit einem Wunder anzufangen.

Ich muß hinzufügen, daß zu der Zeit, in der die Puppe Wunderhold lebte, die Menschen noch auf ganz gewöhnliche und grausame Weise alterten, was für die Frauen, die damals erst anfingen, den Männern gleichberechtigt zu werden, besonders schlimm war. Zu keiner Zeit zählte so ausschließlich die Jugend wie damals. *Alt* war ein Schimpfwort. Die meisten Alten schlichen den ganzen Tag schuldbewußt herum, und die empfindsamsten unter ihnen trauten sich nur im Dunkeln auf die Straße.

Viele reiche Frauen ließen sich die Gesichtshaut von Chirurgen straffen, um länger jung zu erscheinen, und die ärmeren aßen von der Ginseng-Wurzel ohne Erfolg. Die Männer verließen in Scharen ihre faltig gewordenen Gattinnen, um sich jüngere Freundinnen zuzulegen, so daß es die entsetzlichsten Ehetragödien gab. Aber die Chirurgie war damals noch nicht weit genug fortgeschritten, um das Übel ganz zu beheben. So kam nach der Operation zu dem verschreckten Ausdruck, den die Frauen ohnehin schon durch das plötzliche Altern hatten, noch derjenige einer vorzeitigen Starre hinzu. Auch nützte das wiedergewonnene, glatte, wenn auch starre Gesicht allein nicht viel, da ja die Hände und der Körper – zumindest im heißen Sommer, wenn man beim besten Willen nicht alles von oben bis unten verhüllen konnte – das wahre Alter verrieten.

Puppe Wunderhold hätte, wenn man dies alles in Betracht zieht, die Glücklichste unter den damaligen Frauen sein müssen. Sie war es aber nicht, denn sie war viel zu bescheiden, um etwas Besonderes sein zu wollen oder um etwas zu haben, was andere nicht hatten. Sie hatte ein zu gutes, mitleidiges Herz und hätte gern von ihrer glatten Haut ihrer Tochter, die schon früh Falten zeigte, oder ihren Schwestern abgegeben, die jammernd vor dem Spiegel standen und sich pfundweise teure Creme ins Gesicht schmierten.

Die Puppe verwirrte ihr junges Aussehen. Sie wußte nicht, was es zu bedeuten hatte. Falls sie durch dieses Wunder zu etwas Besonderem auserkoren sein sollte, so wurde ihr das durch nichts, durch kein Zeichen mitgeteilt, kein Engel kam, um ihr irgend etwas anzukündigen. Also freute sie sich nicht und wußte nicht, was sie anfangen sollte mit dieser seltsamen ewigen Jugend, die ihr nur die Mißgunst der anderen Frauen einbrachte. Darum geht auch das Märchen von der Puppe schlecht aus, denn das Wundersame war ganz einfach nur ein Irrtum, es war derjenigen beschert worden, die es gar nicht wollte. Tausende anderer Frauen hatten um die ewige Jugend gebetet, und ausgerechnet auf die Puppe, die mit diesem Depardieu verheiratet war, der sich immer bloß langweilte, war das Los gefallen.

Die Puppe wußte, daß sie Depardieu mit ihrem ewigen Frühling, in dem er keinen Sinn sah, erzürnte. Sie sah, daß dieses Wunder seine schlechte Laune verstärkte. Es war ihm lästig, zehnmal am Tag gefragt zu werden, wie es seine Frau bloß mache, daß sie immer gleich jung bliebe über die Jahre, und jedesmal bedrückte es sie, wenn er als Antwort seine schwarze Höhle aufriß, so, als wollte er die Kunden verschlingen, und drohend knurrte: »Mir nutzt das rein gar nichts, mir wäre Geld lieber als so ein Unsinn.«

Als aber eines Tages Massimo Rossi auftauchte, der ein unternehmungslustiger, pfiffiger Kerl war, schien Depardieu geneigt, die Sache in einem anderen Licht zu sehen. Massimo Rossi, der, wie man noch sehen wird, zu später Stunde in Depardieus Langeweile ein kurzes, glückliches Wetterleuchten verursachte, sagte:

»Meine Güte, Herr Depardieu, da haben Sie vielleicht etwas vor der Nase, mit dem Sie mehr Geld machen können als Ihr Vetter mit seinen Waldluft-Pastillen.« Und als die Puppe einmal über eine kleine Müdigkeit klagte, kamen Rossi und Depardieu überein, ihr bei dieser Gelegenheit etwas Blut abzapfen zu lassen, um so das Geheimnis der ewigen Jugend herauszufinden.

Es wurde aber bei der Untersuchung im Laboratorium nichts Besonderes festgestellt, außer, daß die Puppe seltsam süßes Blut hatte, was Depardieu aber schon wußte. Denn im Sommer stürzten sich die Schnaken in Massen auf die arme Puppe, und er mußte immer sein ganzes Insektenpulver aufwenden, um die Schwärme zu verscheuchen. Selbst Hundeflöhe plagten die Puppe, die sich oft stundenlang kratzte. Wenn also süßes Blut eines der Geheimnisse der ewigen Jugend sein sollte, so kam selbst dem geschäftstüchtigen Rossi keine Idee, wie man das kommerziell ausnutzen könnte, ohne vorher alles Ungeziefer der Erde zu vertilgen.

Noch bevor das kurze Zwischenspiel mit Rossi in Depardieus Leben stattfand, war schon einmal ein begeisterter Amerikaner gekommen, der die Puppe, von dem Landarzt auf ihre ewige Jugend aufmerksam gemacht, als Reklame für die Ginseng-Wurzelpillen benutzen wollte. Aber Depardieu hatte ihn kurzerhand hinausgeworfen. Die Puppe hätte für diese Reklame in die Staaten reisen müssen, um Fernsehinterviews zu geben, was sie im übrigen sowieso nicht gekonnt hätte, denn sie war unfähig zu lügen, und Ginseng-Wurzelpillen hatte sie nie gegessen. Auch hätte Depardieu eine solche Reise ohnehin niemals gestattet, da es ihm wegen seiner charakterlichen Beschaffenheiten vollkommen unmöglich war, sich länger als höchstens drei oder vier Stunden von seiner Frau zu trennen.

Zum besseren Verständnis dieser und anderer Tatsachen will ich jetzt das Leben Depardieus und der Puppe schildern, so wie es sich jeden Tag abspielte.

Depardieu stand – und wenn er nicht gestorben wäre, so

täte er es heute noch – jeden Morgen um sieben Uhr früh auf, an Sonn- und Feiertagen erst um acht. Er führte den Hund zum Pinkeln, dann machte er Kaffee, für die Puppe gleich mit. Während der Kaffee durch den Filter lief, wusch er sich.

Depardieu wusch sich immer in der Küche. Seine seltsame Revolte fing schon damit an: Er mochte keine Badezimmer mehr. Er hatte das alles gehabt, im großen Stil, als er jung war, damals in der eleganten Stadtwohnung seiner Mutter. Diese Wohnung hatte zwanzig Fenster mit Ausblick auf den Bois de Boulogne, wie er später Rossi erzählte, und drei Badezimmer. Wenn er es nicht genauso wunderbar haben konnte, wollte er überhaupt kein Badezimmer mehr benutzen. Um aufs Klo zu gehen, mußte er auf den Hof. Dreißig Jahre lang führte er einen verbissenen Kampf gegen ein Wasserklo, bis es plötzlich eines Tages mitten in der Küche stand: Depardieu hatte sich, ganz gegen seine Natur, letztlich dem Fortschritt beugen und sein Haus der Kanalisation anschließen lassen müssen.

Man flog damals schon zum Mond, als er endlich nachgab. Da er aber keine Handwerker im Haus ertragen konnte, kein Hämmern und kein Klopfen, verbat er sich langwierige Rohrdurchbrüche zum Badezimmer der Puppe in der oberen Etage. So blieb ihm für den Standort des Klos nur die Wahl zwischen Eßzimmer, Wohnzimmer und Küche. Er wählte die Küche. Es war ihm vollkommen gleichgültig, ob dieses ungewünschte Klo in unmittelbarer Nähe seines Beefsteaks stand. Erst nach langem Drängen der Puppe und seiner Tochter ließ er schließlich zu, daß es mit dünnen Holzwänden umgeben wurde. Trotzdem blieb der Puppe das Klo in der Küche ein stiller Schmerz. Stets betete sie, daß niemand es benützen möge, während sie gerade beim Kochen war.

Also, Depardieu stand jeden Morgen um sieben auf, führte den Hund zum Pinkeln, kochte Kaffee im Schlafanzug, machte Morgenwäsche und stieg dann in seinen Anzug – dunkelbraun oder mausgrau, je nach Jahreszeit, hellblaues Hemd, dies zu jeder Jahreszeit, nie ein Wechsel. Er kaufte Stapel von hellblauen Hemden, nur die Krawatten änderten sich. Um sieben Uhr dreißig schickte Depardieu den Hund hinauf, um Frauchen zu wecken.

Die Puppe lag im Bett, wie Puppen im Bett liegen, unbeweglich und gerade, die Füßchen steil in die Höhe, die kleinen Händchen über der Brust gefaltet, eigentlich schon so wie im Sarg.

Depardieu brüllte das erste Mal nach oben: »Dépêche-toi!« Die Puppe hatte aber keine Lust, sich zu beeilen, zuckte die Achseln, kaute auf der Zunge herum und sagte vor sich hin: »Der kann mich mal, ich tue, was ich will.« Diesen aufsässigen Satz sagte sie erst seit ganz kurzer Zeit, eben seit sie den linksradikalen Schwiegersohn hatte, der sie unbedingt aus der Sklaverei befreien wollte.

Depardieu brüllte zum zweitenmal: »Dépêche-toi, du schläfst die ganze Zeit.«

Die Puppe hüpfte nun doch schnell aus der kleinen viereckigen Wanne oder Schüssel – eine richtige große Badewanne hatte sie bei Depardieu niemals durchsetzen können –, trocknete sich ab und machte ihre gymnastischen Übungen.

Depardieu hielt gymnastische Übungen für ganz besonderen Blödsinn und brüllte zum drittenmal: »Dépêche-toi.«

Dann las er, im Sessel sitzend, seine Tageszeitung.

Depardieu öffnete die Apotheke um neun. Er machte die Fensterläden auf, entfernte die Holzverschalung von den Scheiben der Tür und fluchte dabei vor sich hin.

Die Puppe trödelte oben absichtlich etwas herum, um sich zu bestätigen, daß sie tue, was sie wolle, und lief dann schnell hinunter.

Sie trank den von Depardieu bereiteten Kaffee und aß dazu Zwieback oder Hörnchen mit sehr viel Butter und Konfitüre.

Depardieu schrie nun aus der Apotheke: »Dépèche-toi! Du tust überhaupt nichts, du ißt die ganze Zeit.«

Die Puppe kam strahlend in die Apotheke, ließ ihr Klimperklavier spielen und zwitscherte zum ersten Kunden: »Er meint das nicht so. Sie wissen ja, wie er ist.« Nach fünfundzwanzig oder dreißig oder wieviel Jahren wußte das jeder.

Depardieu taten bereits die Füße weh. In seinen braunen und mausgrauen Anzügen war er immer viel eleganter als die dörflichen Kunden. Weiße Apothekerkittel trug er nie, er verachtete sie. Nur seine Schuhe waren nicht elegant, denn da ihm ständig die Füße weh taten, trug er karierte Wollpantoffeln oder billige pantoffelähnliche Schuhe mit Gummisohlen, die er in größeren Mengen bei einem Versandhaus bestellte.

Gegen zehn fing Depardieu an zu schimpfen und sagte, er habe es satt, immer zu arbeiten, der Schnupfen der Leute interessiere ihn nicht. Er ging in die Küche, holte sich sein erstes Bier aus dem Eisschrank, rückte sich den Sessel im Wohnzimmer zurecht, so daß er durch die Glasscheibe der Tür, die zur Apotheke führte, die Puppe beobachten konnte, wie sie im Laden wie in einem Käfig herumhüpfte und Medikamente von den Regalen holte.

Sie ersetzte ihm den Wellensittich, den er sich als Kind vergeblich gewünscht hatte.

Nach einer Weile holte die Puppe ihn wegen eines Rezeptes, das sie nicht entziffern konnte, zu Hilfe. »Ei jei jei«, grunzte er, sich erhebend, »ohne mein Diplom wärst du überhaupt nichts und könntest in keiner Apotheke arbeiten.«

Depardieu war kein genialer Geschäftsmann. Er war der einzige Apotheker, der das Geld nicht geradezu scheffelte. Wohl war er für sehr großen Reichtum, aber er mochte sich nicht anstrengen, um ihn zu erwerben. Daß ihm das Geld nicht von allein zufloß, ärgerte ihn. Er war deshalb ständig etwas beleidigt, wie einer, der gar nicht versucht, in der Lotterie zu spielen, den aber jede Woche die Wut packt, wenn ein anderer das große Los gewinnt.

Um zwölf Uhr wurde die Apotheke geschlossen.

Zwischen neun und zwölf trank Depardieu je nach Laune ungefähr drei bis vier Biere und ein paar Gläschen Rotwein, so daß er gegen Mittag, wenn er den Fernseher anmachte, schon ein wenig schräg stand.

Die Puppe lief zum Metzger und Kolonialwarenhändler und bereitete dann das Essen.

Was das Essen betraf, so hätte die Puppe keinen idealeren Mann als Depardieu finden können, denn Depardieu aß immer das gleiche. Seit über zwanzig Jahren aß er jeden Mittag als Vorspeise eine Scheibe rohen Schinken, jeden Abend eine Scheibe gekochten Schinken. Als Hauptmahlzeit aß er jeden Mittag ein Steak – nur wenige Bissen, den Rest bekam der Hund –, etwas Gemüse aus der Dose, ein paar Pommes frites, dann Käse – Emmentaler oder Camembert –, in seltenen Fällen zum Nachtisch eine Birne oder Banane, noch seltener etwas Kuchen. Abends aß er nach seiner Scheibe gekochten Schinken entweder ein Spiegelei oder ein gekochtes Ei oder ein Käseomelette, das die Puppe besonders gut zubereiten konnte. Zu beiden Mahlzeiten trank er Rotwein. Montags gab es mittags ein Huhn, weil der Fleischer geschlossen hatte.

Eigentlich waren beide wenig am Essen interessiert. Depardieu fand alle Nahrung, außer Alkohol, überflüssig, die Puppe aß nur Süßes wirklich gern.

Während des Essens schimpfte Depardieu auf das jeweilige Fernsehprogramm. Manchmal gefiel ihm auch etwas. Dann lachte er Ho-ho-ho-ho und klemmte sich die Serviette vor den Mund, um den Schinken am Herausfallen zu hindern, wie schon beschrieben.

Nach dem Mittagessen setzte er sich in den viereckigen Sessel und schlief meistens ein bißchen ein.

Vorher oder nachher oder überhaupt zwischendurch während des ganzen Tages riß er die Tür zum Hof auf und beförderte mit einem kleinen Fußtritt den Hund hinaus, ungefähr zwanzig- bis dreißigmal, ob der Hund nun wollte oder nicht. Dabei fluchte Depardieu über den Hund, weil er angeblich unbedingt immer hinauswollte. Genausooft, wie er den Hund nicht fragte, ob er hinauswollte, fragte er ihn, ob er Hunger habe, und schob ihm einen Butterkeks in den Hals. Denn Depardieu liebte seinen Hund und konnte genausowenig ohne ihn auskommen wie ohne die Puppe. Seine Hundefußtritte und sein »Beeile dich«-Schreizwang bei der Puppe bekundeten eine Art Zuneigung. Es war seine Art, ständig zu kontrollieren, ob sein Besitz noch funktionierte. Die kleinen, ohnmächtigen Auflehnungen – die Wutausbrüche des Hundes, der laut jaulend seine Lappen beutelte, oder die trotzigen Widerreden der Puppe – beunruhigten ihn nicht. Er fühlte sich von vornherein als Sieger, da er ja wußte, daß beide doch schließlich gehorchen würden.

Die Puppe und ein Hund waren Depardieu vollauf genug als lebendiger Besitz. Alles andere war ihm zu anstrengend und nicht mehr überschaubar. Selbst die Kinder betrachtete er nie vollkommen als seinen Besitz; er hatte keine Lust dazu. Sie waren in seinem Tagesablauf störende Elemente.

Während Depardieu nach dem Essen etwas im Sessel döste, räumte die Puppe den Tisch ab. Sie schob das Geschirr in der Küche bis zum nächsten Vormittag, wenn die Putzfrau kam, in ein leeres Schränkchen, damit Depardieu bei seiner Morgenwäsche nicht zwischen die schmutzigen Teller geriet.

Um zwei schloß Depardieu die Apotheke wieder auf.

Um halb drei drohte er, er würde vorzeitig schließen, er habe genug davon, immer nur zu arbeiten und die Leute zu bedienen und stehen zu müssen, wo ihm die Füße so weh täten. Überhaupt seien alle Pillen Dreckzeug, das nichts nütze, und die Menschen seien schön verrückt, so viel von dem Dreckzeug in sich hineinzufressen.

Die Puppe sagte wieder ihr Sprüchlein: »Er meint das nicht so, Sie kennen ihn ja...«

»Jedes Wort meine ich so«, brummte Depardieu und ging ein Bier trinken.

Um drei Uhr trank er wieder ein Bier. Dann alle halbe Stunde ein kleines Glas Rotwein. Um fünf fing er mit Portwein oder Whisky an.

Depardieu wurde, wie die meisten Menschen der damaligen Zeit, aus vielerlei tiefschürfenden Gründen zum Trinker, aber hauptsächlich wurde er es, weil Trinken die am wenigsten anstrengende Tätigkeit war, um ihm die Langeweile erträglich zu machen. Das Trinken förderte Depardieus Schönheit nicht, was ihm aber völlig gleichgültig war. Sein Verfall gab ihm eine gewisse Genugtuung. Es freute ihn, der Puppe, die nicht in der Lage war, wie normale Menschen zu altern, auf diese Weise einen Schuldkomplex einjagen zu können. Die Leber war ihm längst bis unter das Brustbein geschwollen, der Krawatte gelang es nicht mehr, über den Bauch zu kommen, ihre Enden blieben in schwindelnder Höhe hängen. Fassungslos starrte die Puppe oftmals am Tage auf den Fußball unter Depardieus himmelblauem Hemd und dachte, wehmütig den Kopf schüttelnd, viele Jahre zurück, als er im schneeweißen Anzug vor dem Haus seiner Mutter am Meer gesessen hatte und ein so schöner junger Mann gewesen war.

Zwischen drei und fünf war die ruhige Zeit in der Apotheke. Alle Leute waren beim Arzt, der seine Sprechstunde hatte.

Depardieu saß im Sessel und trank sein Bier, las etwas Zeitung, blätterte in Katalogen, bestaunte die neuesten technischen Errungenschaften, von denen er sich oft einige bestellte: elektrische Messer, Rasierapparate, zeigerlose Uhren etc. Er spielte mit dem Hund, bohrte in der Nase, langweilte sich, schrie nach der Puppe.

Die Puppe war auf dem Dachboden, ihrem Lieblingsort. Sie fürchtete die Zeit dort nicht, die Vergangenheit blieb ihr in den alten Dingen, die sie da oben auftürmte, greifbar. Wie ein Eichhörnchen trug sie seit dreißig Jahren täglich etwas Futter hinauf für die Ewigkeit und baute sich emsig ihr Himmelreich.

Depardieu war gewöhnt, daß die Puppe vor vier Uhr nicht antwortete und goß friedlich seinen verschiedenen Alkohol in sich hinein. Solange sie im Hause war, brüllte er zwar fortwährend nach ihr: »Dépèche-toi«, aber er war niemals beunruhigt, während er ernsthafte Zustände bekam, wenn sie länger als eine Stunde aus dem Haus ging. Seine Langeweile wurde dann unüberwindlich. Er wurde zu den Kunden unausstehlich, so daß viele die Apotheke lieber verließen, ohne etwas zu kaufen, und die Geduldigen draußen vor der Tür auf die Puppe warteten. Blieb die Puppe manchmal länger als drei Stunden fort, lag er, wenn sie wiederkam, der Länge nach stöhnend auf dem Boden und behauptete vorwurfsvoll, nicht mehr aufstehen zu können.

Pünktlich um fünf Uhr schellte jeden Tag das Telefon, was den Hund zu wütendem Gekläff veranlaßte. Er bekam einen Fußtritt und beutelte zornig seine Lappen. Depardieu gab, wenn das Telefon läutete, seine Bestellung für fehlende Arzneimittel auf und fragte das Fräulein am anderen Ende jedesmal nach dem Wetter.

Abends um sechs wurden die Arzneien geliefert. Es waren oft große Kisten, die die Puppe immer allein auspacken mußte, worüber sie sehr schimpfte. Depardieu trank statt dessen mit dem Lieferanten einen Schnaps.

Immer wenn Depardieu trank, wollte die Puppe nicht wahrhaben, daß er trank. Sie war in den langen Jahren mit Depardieu eine Meisterin im Verdrängen geworden.

Glockenschlag sieben sperrte Depardieu jeden Tag seine Apotheke wieder zu. Wer fünf Minuten vor sieben noch zu kommen wagte, wurde widerwillig bedient oder weggeschickt. Depardieu sagte, er sei kein Sklave, und er habe es satt, den Leuten noch in der Nacht das Dreckzeug gegen ihren Schnupfen zu verkaufen.

Depardieu ging hinaus, vom Hund begleitet, und machte die Fensterläden wieder zu.

Im Gegensatz zu allen anderen Apotheken, die elegante, neonbeleuchtete Vitrinen hatten, hatte Depardieu nur ganz gewöhnliche, ungeputzte Fenster, in denen ein paar staubige Reklameschilder für Babynahrung, Grippepastillen und Haarwuchsmittel herumstanden. Depardieu fand jede Veränderung überflüssig. Da er die einzige Apotheke des Städtchens hatte, wußte er, daß die Leute auch ohne ein großes Schaufenster bei ihm kaufen würden.

Ein Fremder aber hätte beim Anblick des ziemlich verfallenen, grauen Hauses schwerlich ahnen können, daß es sich um eine Apotheke handelte, wenn nicht in großen Lettern, von denen allerdings seit Jahren des M fehlte, PHAR ACIE über der Tür gestanden hätte. Auch war ein verwitterter Kasten, dessen Beleuchtung längst nicht mehr funktionierte, am Haus angebracht, auf dem aber nur der Eingeweihte noch das Apothekerkreuz und den Äskulapstab erkennen konnte. Die Not- oder Nachtglocke war dick mit Heftpflaster verklebt.

Depardieu ging, nachdem er geschlossen hatte, mit dem Hund auf einen Aperitif ins Bistro. Dann kam er wieder nach Hause, zog sich große Kamelhaarpantoffeln an, weil ihm die Füße nun unerträglich weh taten, setzte sich in seinen Sessel und blätterte zur Abwechslung in Autokatalogen.

Er verbrachte jährlich viel Zeit damit, über ein neues

Auto nachzudenken. Manchmal ließ er sogar einen Vertreter kommen und sich ein Auto vorführen, kaufte aber sehr selten eins. Das Auto, das er jeweils hatte, war immer vorbildlich gepflegt, und niemand durfte darin fahren. Die Puppe hatte ihr eigenes Auto. Die wenigen Fahrten, die Depardieu in seinem Auto unternahm, waren meistens die zur Waschanlage.

Die Puppe deckte den Abendbrottisch und versuchte, ihn durch eine Vase mit Blumen zu verschönern, die Depardieu jeden Abend schimpfend wieder wegstellte. Er mochte keine Blumen. Er behauptete, sie brächten ihn zum Niesen.

Um acht Uhr wurden der Schinken und das Ei gegessen, etwas Käse und Obst. Manchmal bekam die Puppe einen ihrer Emanzipationsanfälle und kochte für sich und den Hund Nudeln. Nach dem Essen saß Depardieu in zusammengefalteter Haltung vor dem Fernseher, den Ellbogen auf das Knie, das Kinn auf die Hand mit der Serviette gestützt, das sagte ich schon. Der Fernseher war auf einem zu niedrigen Fuß scheußlichster moderner Form angebracht, so daß er unter dem normalen Blickwinkel stand und man daher notgedrungen entweder in sich zusammensinken oder sich hinknien mußte, um etwas zu sehen. Depardieu, der den Fuß eigens aus dem Katalog bestellt hatte, wollte aber die fehlerhafte Konstruktion nicht zugeben. Er bestimmte das Fernsehprogramm, und zwar immer das, was die Puppe gerade nicht sehen wollte. Depardieu mochte nur Kriminalfilme, Western und Revuen, aber auch denen sah er meistens nur vor sich hinschimpfend zu.

Wenn der Abend kam und die Sonne sank, sank auch die Sonne im Gemüt der Puppe. Je später es wurde, desto leiser wurden die Töne ihres Klimperklaviers, desto schwächer sagte sie sich: »Ich tue, was ich will.« Die tägliche Niederlage fand spätestens zur Fernsehzeit statt, wenn sie sich Depardieus Programmwahl nicht mehr widersetzen konnte.

Gegen zehn Uhr, manchmal auch schon um neun, verzog sich Depardieu mit seinem Hund in sein Bett, wo er friedlich, laut und durchgehend bis zum nächsten Morgen um sieben schnarchte.

Weil Depardieu so fürchterlich schnarchte, schliefen er und die Puppe in getrennten Zimmern. Das Zimmer der Puppe war über und über geschmückt mit Bildern, Fotos, Blumen, Sesselchen, bunten Kissen, Teppichen. Alles, was sie nicht auf dem Dachboden hatte, war in ihrem Zimmer. Das Zimmer von Depardieu war vollkommen kahl, ein dunkles Loch, in dem nur ein Bett stand und ein Topf mit Wasser für den Hund.

Puppe Wunderhold saß noch eine Weile frierend, oft schon im Nachthemd, mit dem großen Blaufuchs der schönen Mutter über den Schultern, vor dem Fernseher und sah sich andächtig das Ende des verpaßten Filmes an. Sie fror, weil Depardieu immer, bevor er ins Bett ging, die Heizung abstellte.

Gegen elf Uhr telefonierte die Puppe mit ihrer Tochter und ging dann auch schlafen.

Seit ungezählten Jahren war damals alles so, wie es in diesem Tageslauf beschrieben ist. Jeder Tag, den Gott schuf, verlief gleichermaßen mit ganz kleinen Ausnahmen, wie zum Beispiel die Ferientage. Aber eines Tages verreiste Depardieu noch nicht einmal mehr, was er eine Zeitlang jeden Sommer getan hatte.

Er hatte in den Jahren, bevor er das Reisen endgültig aufgab, viel Ärger gehabt, war in Dauerregen, zu teure Hotels, Mückenschwärme, einmal sogar am zweiten Tag in ein Erdbeben geraten, woraufhin er die Reise sofort wütend abgebrochen und geschworen hatte, niemals mehr Ferien zu machen. Und dabei war es geblieben.

Sonn- und Feiertage verliefen zuletzt auch nicht mehr viel anders als der Alltag. Viele Jahre hatte es Depardieu wohl Spaß gemacht, jeden Sonntag mit der ganzen Familie zum Mittagessen in sehr gute Restaurants zu gehen, aber auch das war ihm eines Tages zu langweilig und zu teuer geworden. Auch interessierte ihn, je mehr er trank und je größer seine Leber wurde, das Essen immer weniger.

Depardieu saß an Sonntagen bis zehn Uhr im Schlafanzug herum, bevor er sein himmelblaues Hemd und seinen grauen Anzug anzog. Dann fing er, weil ihm nichts anderes einfiel, an, »dépèche-toi!« zu rufen und auf die Sonntage zu schimpfen, die er, so wie die Ferien, am liebsten auch abgeschafft hätte, denn er fand sie noch langweiliger als die anderen Tage.

Die Puppe hingegen genoß die Sonntage. Sie badete und putzte sich stundenlang, lackierte ihre Fingernägel, stellte sich taub, wenn Depardieu »dépèche-toi!« rief, bereitete gegen ein Uhr gemütlich ihr Sonntagsessen und überließ am Nachmittag Depardieu seiner Langeweile und seiner Rotweinflasche und verkroch sich auf den geliebten Dachboden.

Der Beischlaf ist im Tageslauf nicht vergessen worden, er war nur nicht etwas, das alle Tage stattfand.

Depardieu war immer ein etwas unbeholfener Mensch gewesen, was den Sex betraf. Er hätte sich eine Frau gewünscht, die hin und wieder ein wenig an ihm herumfummelte, um ihn anzuregen und ihm ihre Lust an der Sache zu zeigen. Aber die Puppe tat nie etwas dergleichen. Sie blieb nur stocksteif liegen, wenn er sich manchmal am Morgen, nachdem er die Faltensuchlupe weggelegt hatte, sein Recht eroberte, indem er sie durch leichtes Kitzeln am Schamhügel aufweckte. Sie ließ ihn auf sich herauf, aus Gewohnheit, aus Angst, aus Mitleid, sie wußte den Grund nicht ganz genau, aber sie tat es leidenschaftslos, was Depardieu meistens verschreckte, so daß er selten zu seiner Freude kam.

So geschah auf dem weiten Feld der Erotik nicht viel bei Depardieus, was Depardieu vielleicht zusätzlich verstimmte, die Puppe aber überhaupt nicht störte. Wenn ihr etwas fehlte, so kam es ihr nie ganz zu Bewußtsein, sie verdrängte es und spielte statt dessen Klimperklavier. »Es gibt so viel Elend auf der Welt«, sagte sie sich, eifrig auf ihrer Zunge herumkauend, »man muß nur immer unter sich schauen, dann weiß man, wie gut man es hat.«

Depardieu ersetzte, was ihm fehlen mochte, durch Tyrannisieren der Puppe und des Hundes und war damit zufrieden. Es wäre ihm viel zu mühsam gewesen, sich den Sex außerhalb seines Hauses zu suchen oder sich das Leben mit einer Mätresse zu beschweren.

Von leidenschaftlicher Liebe, von Sehnsucht, gar von Leiden um die Liebe hatten weder die Puppe noch Depardieu eine Ahnung. Bis zum Erscheinen von Massimo Rossi hatte während der Ehe keiner von beiden ein liebendes Interesse an einem anderen Mann oder einer anderen Frau gefunden. Einmal, weit, weit zurück, in der Zeit, in der das Elternhaus noch stand und der Blütenbaum noch blühte, hatte sich die Puppe mit einem verheirateten Mann verlobt, der es dann aber doch vorzog, zu seiner Familie zurückzukehren. Die Puppe bekam damals einen Schock und schloß sich weinend in ihrem Zimmer ein. Nach ein paar Stunden aber riß sie die Tür wieder auf und sagte zu Alma Elisabeth, die besorgt vor der verschlossenen Tür gelauert hatte: »Ich will nicht leiden!« Und damit war dem allen ein Ende gesetzt.

Die Puppe wollte nicht leiden, Depardieu konnte nicht leiden. Er gehörte zu der Gruppe der Herrschenden, der Besitzenden, nicht zu der der unglücklich Liebenden. Liebesleid und der Traum waren ihm unbekannt. Alles, was er aufzubringen vermochte, war eine gewisse Begeisterung, so wie er sie zu Anfang für die Puppe gehabt hatte oder später für Massimo Rossi. Aber die Begeisterung verflog jeweils schnell wieder, und er fiel zurück in seine Langeweile, die ihm der sicherste Boden, das einzig zu überblickende Feld zu sein schien auf dieser verrückten Erde.

Depardieu hatte seine feste Burg der Langeweile, und die Puppe hatte ihre feste Burg der Verdrängung, und es wäre alles immer so weiter gegangen, und die Puppe hätte vielleicht sogar ewig weitergelebt in ihrer ewigen Jugend, wenn nicht Massimo Rossi Depardieus Burg erschüttert hätte und der Geist der Puppe nicht von dem Schwiegersohn verwirrt worden wäre.

Die Mutter kam zweimal jährlich nach Frankreich zu Besuch und machte ihr Besitzerrecht an der Puppe geltend. Depardieu mußte sich diesen Besuchen wohl oder übel fügen, die Mutter war stärker als er. Zu Anfang hatte er versucht, sich zu wehren, aber die Puppe hatte gedroht: »Wenn meine Mutter nicht herkommen darf, verlasse ich dich«, und da Depardieu um keinen Preis eine Änderung in seinem Leben haben wollte, hatte er nachgegeben.

Kam die Mutter zu Besuch, so stand sie oft, wie zu Anfang erwähnt, vor Depardieus Apotheke und zählte die Kunden. Sie wollte sich auf diese Weise ausrechnen, wieviel Depardieu verdiene, und ihm seinen Geiz nachweisen. »Der muß Geld wie Heu scheffeln«, zischte sie zur Puppe, »aber er versäuft wohl alles.«

Wenn die Mutter nicht Kunden zählte, so saß sie erwartungsvoll am Eßtisch oder lag in ihrem Bett. Das Bett war ihr nach wie vor der liebste Ort der Erde. Sie sagte sogar oft, sie würde dem Erfinder des Bettes am liebsten ein Denkmal setzen.

Seit dem Tod des schönen, guten Vaters hatte die Mutter kein Blasenleiden mehr, behauptete aber, es statt dessen an der Galle zu haben – ein guter Grund, nicht nur nachts im Bett zu liegen. Sie sah immer noch frisch und schön wie ein Röschen aus zwischen ihren Kissen mit dem zarten, rosa Teint der Königin Elisabeth. Und selbst im Sarg war sie noch schön gewesen, obwohl sie wie ein verschreckter Hase ausgesehen hatte, weil ihr der Mund weit offen stand. Die Leichenputzerin hätte den Mund der Mutter wohl zubekommen, wenn man die teurere Ausführung des Sarges genommen hätte mit dem etwas höheren Kopfkissen. Aber dafür war ja kein Geld mehr dagewesen, was später in Alma Elisabeths Geschichte näher erklärt werden wird.

Alter und Falten hatten der Schönheit der Mutter keinen Abbruch getan, nur die Nase, die mit der Zeit etwas gewachsen war, störte ein wenig, zumal die schöne

Mutter die Angewohnheit nicht abgelegt hatte, die Nase als Hauptausdrucksmittel zu benutzen und die Nasenflügel voll Verachtung weit aufzublähen. Andererseits war es wohl gerade die Nase, die ihr die Würde gab. Hinzu kam ihr leuchtendweißes Haar, das wie der ewige Schnee eines Bergriesen aussah oder an das duftige Weiß eines blühenden Kirschbaums im Vorfühling erinnerte oder an den Mond klarer Winternächte. Dieses Haar wurde nie schmutzig oder gar fettig; die Mutter wusch es nur alle vier Wochen, und ganz natürlich fiel es in tiefen Wellen um ihr schmales Gesicht. Alle drei Töchter dagegen, selbst die Puppe, hatten ihr Leben lang mit Lockenwicklern und Dauerwellen zu kämpfen.

Von den äußeren Merkmalen abgesehen, hatte sich die Mutter in den Jahren, die vergangen waren, nicht viel verändert. Sie war das geblieben, was sie immer gewesen war: die wunderbare, gute Mutter. Anderen Müttern entschwanden ihre Kinder in ein eigenes, fernes Leben, sie sahen sie selten oder nie, und es gab Dramen bedrückendster Einsamkeit für viele alte Frauen. Der guten Mutter aber waren ihre Kinder geblieben, weil sie sie beizeiten sorgsam gefressen hatte, um sie vor allem Übel, vor Männern und vor Liebe zu bewahren. Männer und Liebe waren eine Gefahr, die notwendigerweise nichts als Unheil anrichten würde. Die Ausflüge in die unglückseligen Eheversuche von Alma Elisabeth und Johanna hatten ihr recht gegeben. Und auch an die Liebe der Puppe zu Depardieu glaubte die Mutter nicht. Sie fand Depardieu entsetzlich, was bei ihrer Einstellung zu Männern nichts gegen Depardieu besagte.

»Daß du den Depardieu so liebst, redest du dir nur ein«, sagte sie zur Puppe. »Also, wie der gestern abend wieder in der Nase gebohrt hat! Ich habe mir aber genau die Hand gemerkt, mit der er bohrte, und ihm beim Gute-Nacht-Sagen die andere gegeben.«

Depardieu bohrte, wenn die Mutter da war, besonders viel in der Nase, weil er nicht wußte, wie er sonst seinen Zorn über diesen Besuch, der seinen gewohnten Tageslauf mit der Puppe störte, beherrschen sollte. Das Nasenbohren beruhigte und entzückte Depardieu. Es war ihm eine wirkliche Leidenschaft. Er hatte eine solch vollendete Kunstform im Hin- und Herdrehen des kleinen harten Popels entwickelt, daß er damit hätte auftreten können. Oft konnte er sich für mehr als eine halbe Stunde nicht von dem Popel trennen. Er schob ihn unter den Fingernagel, holte ihn wieder hervor, ließ ihn mit dem Daumen über den ganzen Zeigefinger rollen, ohne ihn zu verlieren, und balancierte ihn von einem Finger zum anderen. Der Widerstand des kleinen, aus ihm selbst kommenden, selbstgefischten harten Gegenstandes begeisterte ihn; der leichte Schmerz, den er empfand, wenn er ihn tief ins weiche Daumenfleisch drückte, bereitete ihm Wollust und gab ihm eine einzigartige Befriedigung. Verlor er den Popel unfreiwillig, so war er betrübt, denn er fand nicht immer gleich Nachschub und mußte auf der Suche oft in tiefste Tiefen greifen, bis er siegreich auf etwas Brauchbares stieß. Hatte er aber aus eigenem Entschluß genug vom kleinen Popel, so gab er ihm die Freiheit, indem er ihn weit durch die Gegend schnellte.

Die Mutter war mit sich und ihrem Dasein zufrieden, hatte immer genug zu tun, genug zu sehen, genug zu kritisieren, langweilte sich nie, dazu war sie zu lebhaft und zu impulsiv, sie las viel, hörte Musik, sah fern und dachte über das Essen nach. Sie empfand Ungeduld und Freude vor dem Essen, Druck der Galle nach dem Essen. Nach jeder Mahlzeit knöpfte sie sich den Rock auf und sagte stöhnend, daß sie rein gar nichts mehr vertragen könne, hatte aber jedesmal riesige Mengen vertilgt. Auf ihren täglichen Spaziergängen nahm sie die schöne Natur oft nur flüchtig wahr und beschleunigte ihren Schritt, magisch angezogen von einem Hering, den die Puppe für sie in Öl mit Zwiebeln und Karotten eingelegt hatte. Oder sie eilte wie vom Winde gejagt einem riesigen Sauerbraten zu.

Ihre alten Sprüche hatten sich auch nicht geändert, nur Kant *Der bestirnte Himmel über mir und das moralische Gesetz in mir* und *Carpe diem* waren hinzugekommen.

Traurigkeit und Einsamkeit waren ihr nicht unbekannt, aber selbst diese bedrückenden Zustände waren nicht schlimmer geworden. Sie hatte sie von jeher mit Hilfe eines Gedichtes erfolgreich verscheuchen können, und dieses Gedicht hieß ungefähr so:

Traurigkeit heilt keine Not,
ach, was wollt ihr trüben Sinne
denn beginnen.
Traurigkeit heilt keine Not,
sie verzehret nur die Herzen
und vermehret nur die Schmerzen
und ist ärger als der Tod.
Auf, ihr Sterne, ihr müßt lernen,
wenn das Wetter tobt und bricht,
durch der Nächte schwarze Decken,
euch zu sein das eigene Licht.

Die Mutter war sich ihr eigenes Licht. Sie hatte den guten Stern über sich und das moralische Gesetz in sich, und um zu unterstreichen, daß sie ein zufriedener und fröhlicher Mensch war, hatte sie sich angewöhnt, fortwährend eine Melodie vor sich hinzusummen.

Die Mutter und Depardieu waren sich in höchstem Maße unsympathisch. Aber sie ließen es sich gegenseitig nicht anmerken, sondern verzogen, wenn sie einander unvermittelt anblickten, ihr Gesicht zu einem gezwungenen Lächeln. Wohlweislich hatte keiner versucht, die Sprache des anderen zu verstehen, so daß ein gewisser Friede herrschte. Auch bemühte sich die Puppe, diesen Frieden zu erhalten, indem sie alle Bosheiten, die die beiden von sich gaben, immer nur als Liebenswürdigkeit hinstellte. Wenn Depardieu maulte, es sei ja widerlich, was diese alte Frau alles in sich hineinstopfe, übersetzte die Puppe der Mutter: »Er sagt, du solltest noch etwas essen. Er hat mich extra zum Bäcker geschickt, um Sahnekuchen für dich zu holen.«

»Er könnte aber ein freundlicheres Gesicht machen, wenn er wirklich so etwas sagt, da bleibt einem ja sonst der Bissen im Halse stecken«, zischte die Mutter nasenflügelblähend und mit blitzenden Augen. Die Puppe wiegte den großen Blumenkopf hin und her und kaute vor Nervosität auf ihrer Zunge herum. Sie aß fast nichts und nahm immer mehrere Pfunde ab, wenn die Mutter zu Besuch da war.

Depardieu war mit seinem täglichen Schinken schnell fertig. Darauf sank er in sich zusammen, die Serviette fest vor dem Mund, ab und zu nur eine böse Bemerkung herauslassend, und starrte ins Fernsehen. Er rührte nichts von dem für die Mutter gekochten guten Essen an, aber der Mutter verschlug es den Appetit trotzdem nicht, und der Bissen blieb ihr auch nicht im Halse stecken. – »Kein Wunder, daß der nichts ißt, bei dem vielen Alkohol.« sagte sie. »Wo ein Brauhaus steht, da steht kein Backhaus.«

Trotzdem brachte sie es ab und zu fertig, sich über Depardieus seltsame Art aufzuregen, und wenn sie obendrein noch zu viel Sahnekuchen gegessen hatte, bekam sie eine ihrer Koliken. Zum Gotterbarmen erbrach sie dann oben in ihrem Zimmer fürchterliche Mengen in einen Eimer, den die arme Puppe immer runter in den Hof auf das Klo schleppen mußte.

Die Koliken der Mutter dauerten jeweils nur einen Tag. Danach aber blieb sie immer fünf weitere Tage im Bett. Sie klopfte mit einem Stock auf den Fußboden, als Zeichen für die Puppe, wenn sie etwas brauchte. Nun brauchte die Mutter fast ununterbrochen etwas, und die Puppe mußte wohl hundertmal am Tag treppauf, treppab laufen. Kaum war sie oben bei der Mutter, schrie Depardieu von unten sein »Dépèche-toi!«. Der Puppe war unklar, warum beide so herrisch waren. Am Abend, wenn sie zu Bett ging, war ihr, als sei sie zwischen zwei Mühlsteine geraten. Sie fühlte sich zerquetscht, erdrückt, kaum, daß sie atmen konnte. Ihr Klimperklavier fing an, falsch zu spielen, und oft war sie so erschöpft, daß sie weinte.

Puppe Wunderholds Tochter hieß Undine. Bei der Wahl dieses Namens hatte die Puppe an das Märchen von der kleinen Meerjungfrau gedacht, das sie immer so sehr geliebt hatte. Sie war mit Jean-Dominique Bastia, einem dunkeläugigen, lebhaft schönen Korsen verheiratet, der

Steuerberater war. Wegen seiner politischen Ansichten hatte Jean-Dominique Bastia aber ziemlich bald genug davon, nur für Kapitalisten zu arbeiten, und so wurde er Lehrer. Er unterrichtete die Abiturklassen eines Gymnasiums in der Nähe von Paris.

Undine und Jean-Dominique, genannt Jeando, führten eine vorbildliche Ehe. Der einzige Schatten, der auf das vollkommene Glück von Jeando fiel, war Undines übergroße Liebe zu der Puppe, die sie allzuoft nach Hause zog. Auch verdroß es ihn, daß er an einen Schwiegervater geraten war, der für ihn die verhaßte Unterdrückungsgesellschaft verkörperte, ein Schwiegervater, von dem er sich zu seinem großen Ärger selbst immer wieder unterdrücken ließ. Denn gegen Depardieu kam niemand an, auch kein Maoist. Depardieu herrschte in seinem Haus. Es wurde getan, was er wollte. Seine Langeweile, seine Launen bestimmten den Tag.

Für Depardieu waren die hinzugekommenen Familienmitglieder störende Elemente. Aber er wußte, daß die Heirat der Kinder der Lauf des Lebens war und nahm es murrend in Kauf. Ihm stank sowieso alles, zusätzlich stanken ihm die Ärsche der unvermeidlichen Enkelkinder. »Sie werden nicht neurotisch, wenn man sie lange genug in die Hosen scheißen läßt«, sagte der Schwiegersohn, dessen neumodische Ideen Depardieu nicht berührten. Er war konservativ von Geburt. Die Linken tat er als eine Bande von Gangstern ab, und seinen Schwiegersohn nahm er in politischer Hinsicht nicht ernst. »Der ist links und profitiert von rechts«, sagte er, und wenn Jeando von Politik redete, hörte er nicht zu.

Depardieu ließ sich überhaupt nie auf Diskussionen ein. Alle Unterhaltungen mit ihm waren immer äußerst schnell beendet. Entweder sagte er: »Das geht mich nichts an«, oder, wenn man ihn etwas fragte, über das er sehr wohl Bescheid wußte: »Ich bin nicht auf dem Laufenden«, oder er sagte mit solcher Bestimmtheit, als sei es das Urteil des Jüngsten Gerichts: »Das nützt alles nichts!«, ganz gleich, ob sich die Gespräche auf Medikamente, Politik oder den lieben Gott bezogen. Der Puppe hingegen war alles, was Jean-Dominique oder Undine sagten, wie das Evangelium. Ihre Backen wurden feuerrot beim Zuhören, ihr rundes Gesicht glänzte, sie schien verklärt. Manchmal wurde Depardieu diese Anbetung zu bunt. Dann kamen Wutausbrüche aus nichtigem Anlaß, wie zum Beispiel die Sache mit der Blutwurst.

Jeando aß gern Wurst, Wurst aller Art. Einmal wollte die Puppe ihm eine Freude machen und briet ihm zum Abendessen eine Blutwurst, ohne Depardieu vorher zu warnen. Diesem stieg der Bratgeruch ganz fürchterlich in die Nase, er riß alle Türen und Fenster auf, trat wütend ein paarmal gegen einen Sessel und schrie, er verbitte sich solch scheußlichen Gestank. Wer nicht essen wolle, was er äße, der solle wegbleiben. Jeando fühlte sich beleidigt. Er wollte die Blutwurst nun nicht mehr essen und ging hungrig zu Bett. Also packte Depardieu wütend die Pfanne mit der stinkenden Wurst und warf sie zur Tür hinaus, mitten auf die Straße.

Was nun die Liebe zwischen Puppe Wunderhold und Undine betraf, so war sie wirklich groß, und Jeando hatte recht, sie für übertrieben zu halten. Mit der üblichen Liebe zwischen Mutter und Tochter hatte sie wenig zu tun. Die Puppe und Undine waren die zärtlichsten Freundinnen. Unter anderen Umständen wären sie vielleicht ein Liebespaar geworden. Aber solche heimlichen

Wünsche oder Neigungen waren damals bei den meisten Menschen noch ins Unterbewußtsein verbannt, und das wiederum war manchmal so stark, daß es sich auf eine ganz besondere Art manifestierte. Undines Unterbewußtsein zum Beispiel vollzog den Liebesakt mit der Puppe und nicht mit Jeando, was zur Folge hatte, daß alle ihre Kinder der Puppe aufs Haar ähnlich sahen. Jeando hätte sich sehnlichst einen Sohn gewünscht, der aussah wie er, und jedesmal wandte er sich voll Ingrimm ab, wenn er in der Wiege immer wieder statt dessen das runde Gesicht der Puppe liegen sah. Er wußte wohl, daß da ein seltsamer Spuk im Gange sein mußte. Auch daß seine Frau immer älter, die Schwiegermutter aber immer jünger wurde, sah er als seltsamen Spuk an. Als dialektischer Materialist konnte er es aber kaum wagen, dem Wesen des Spuks auf den Grund zu gehen, ohne dabei Gefahr zu laufen, in einen inneren Zwiespalt zu geraten. Und so wollte er lieber an diese Dinge nicht rühren. Mit den Jahren jedoch reizte die ewige Jugend seiner schönen Schwiegermutter seine Phantasie immer mehr, so daß er nun seinerseits den Liebesakt in Gedanken mit der Puppe vollzog. Jeando hätte es allerdings vorgezogen, diese Phantasie in die Tat umzusetzen und mit Mutter und Tochter gemeinsam zu schlafen. Er sah aber weit und breit keine Möglichkeit, die bürgerlichen Zwänge und Vorurteile zu durchbrechen. Und so begnügte er sich damit, für das innere Wohl der Puppe zu sorgen, indem er sie über die Unterdrückungsgesellschaft aufklärte.

Die gute Puppe verstand nicht viel von Verstrickungen und Unterströmungen. Sie fand ihre Liebe zu Undine normal. Ihren Sohn François liebte sie ja auch, obwohl er ihr in seiner Verschlossenheit manchmal wie ein Fremder war. Sie bewunderte Jeando, weil Undine ihn bewunderte und liebte. Alle anderen Gedanken waren ihr so fern wie das Himalayagebirge.

Jeandos Aufklärung brachte die Puppe in große Verwirrung. Man muß bedenken, daß vor seinem Auftauchen die Welt für die Puppe in Ordnung gewesen war. Von klein auf war sie gewöhnt zu tun, was die Mutter sagte. Später war Depardieu hinzugekommen, und sie tat, was alle beide sagten. Ihr Klimperklavier hatte ihr immer geholfen, sich über alle Schwierigkeiten hinwegzusetzen und mit ihrem Schicksal zufrieden zu sein, obwohl sie sich oft über die Eigenarten von Mutter und Ehemann wunderte. Sie wußte, daß sie es gut hatte im Vergleich zu anderen, und um sich selbst zu bestärken, sagte sie, wie man weiß, laut und meistens nach den Nachrichten im Fernsehen vor sich hin: »Es gibt so viel Elend auf der Welt.« Aber Einzelheiten schob sie schnell beiseite, und unter dem Elend und dessen tieferen Ursachen konnte sie sich nichts Genaues vorstellen. Jahrelang war sie in einem kleinen Schienenwagen sitzend dahingefahren, immer geradeaus, geschoben von der großen Macht der Gewohnheit, und hatte sich an den einfachen Dingen des Lebens gefreut, an Blumen zum Beispiel. Auf einmal war der Schwiegersohn dahergekommen und wollte ihr klarmachen, daß die Welt gar nicht in Ordnung, sondern recht beschissen sei. Er redete von Repression und Manipulation, von einem Autoritätsverhältnis, in dem sie lebe, und vom Emanzipationskampf der Frau.

Undine nickte bei jedem seiner Sätze zustimmend und sagte: »Er hat völlig recht«, oder, »Ja, Mama, du läßt dich zu sehr unterdrücken«.

Die Puppe hörte andächtig zu, aber zunächst drang nicht viel von den neuen Ideen in ihr Hirn. Sie wollte die Augen nur ungern öffnen. Sie fürchtete, es könnte ihr so ergehen wie manchen Haustieren, die man plötzlich vom warmen Ofen weg, hinaus in die kalte Wildnis jagt. Mit der Zeit aber fiel doch mancher Tropfen der Aufklärung auf ihren großen Puppenkopf und begann, ihr Gemüt zu nässen, und so geschah es, daß die Puppe, der die Melancholie ein Leben lang fremd gewesen war, manchmal melancholisch wurde, ja, zuweilen sogar an Atemnot litt. War sie mit Depardieu allein in ihrem gewohnten Tageslauf, dann war alles gut. Kam aber die Mutter zu Besuch, und sollte es zusammentreffen, daß auch noch Undine und Jeando zur selben Zeit da waren, so wurde der Druck von rechts und der Druck von links plötzlich unerträglich. Ihr Klimperklavier wollte nicht mehr recht spielen. Oft hörte sie sogar Töne, als habe sie sich mit ihrem Hintern auf die Tasten gesetzt.

Damals fing sie an, sich im Sinne des Schwiegersohnes zu sagen: »Ich tue, was ich will.« Sie blieb auch trotzig fünf Minuten länger als gewöhnlich in der Wanne sitzen, wenn Depardieu von unten heraufschrie: »Dépèche-toi!« Oder sie rannte nicht gleich nach oben, wenn die Mutter in ihrem Zimmer ungeduldig mit dem Stock auf den Boden klopfte. Aber mit dem Versuch zur Emanzipation wuchs gleichzeitig ihr Schuldgefühl. Um fröhlich zu sein, hatte sie nun ziemliche Mengen zu verdrängen, oft kam sie gar nicht mehr nach. Sie stopfte und stopfte alles in sich hinein, so daß sie am Ende war wie ein überfüllter Müllschlucker. Es entstand ein tiefer Riß in ihr, durch den sie auf eine schlimme Erkenntnis blickte: Das schöne Tal vor ihren Augen war voller Jammer und gefiel ihr nicht mehr so gut wie früher. Die Macht der Freiheitsideen und die Macht Depardieus und der Mutter konnte sie kaum mehr vereinen, und eines Tages wurde sie von der Macht erdrückt. Aber soweit ist es noch nicht. Vorerst kehrten noch Zeiten der Ruhe zurück, sobald alle wieder abgereist waren. Von sieben Uhr früh bis elf Uhr abends verlief jeder Tag wieder so, wie es beschrieben wurde, ohne die geringste Abweichung, mit Ausnahme der Mittwochnachmittage, an denen der Arzt keine Sprechstunde hatte und wenig Kunden in die Apotheke kamen. Dann fuhr die Puppe in die Stadt, um Einkäufe zu machen.

Nach der Aufklärung beklagte sich die Puppe oft bei der Mutter, was sie früher nie getan hatte. An ganz emanzipierten Tagen konnte es sogar geschehen, daß sie der Mutter einige Vorwürfe über ihre Erziehung machte, worauf es die gute Mutter jedesmal so an der Galle bekam, daß die Puppe die ganze Emanzipation verwünschte.

Auch Geld beschäftigte die Puppe außerordentlich seit der Schwiegersohnzeit. Selbst bei Depardieu muckte sie manchmal auf und sagte, sie müsse eigentlich bezahlt werden für ihre Arbeit, die sie in der Apotheke leiste. Sie rechnete ihm auf einem Zettel aus, wieviel Geld er ihr für all die Jahre schulde, aber Depardieu sah sich den Zettel gar nicht erst an, sondern zerknüllte ihn nur. »Unsinn«, sagte er, »wenn ich dir Geld schulde, schuldest du mir genausoviel. Das ist in einer Ehe so.«

Depardieu behielt die Oberhand, daran konnte auch der Schwiegersohn nichts ändern. Er saß da und strömte weiter seine gebieterische Langeweile aus, bis sie über ihm zu einer riesigen, undurchdringlichen Dunstglocke wurde. Er erschien der Puppe oft wie ein großes, übermächtiges Tier, das sie aus einem ihr unerklärlichen Grund bewundern mußte, denn sie verstand Depardieu nicht. Er blieb ihr rätselhaft. So, wie er frühmorgens mit der Lupe nach ihren Falten forschte, so bemühte sie sich genauso ergebnislos, seine Launen zu erforschen. Sie sah ihm stumm zu, wie er ebenso stumm in seinem Sessel saß, und überlegte sich, was wohl in seinem Kopf vorgehen würde und ob er nicht doch vielleicht Bedeutendes dächte. Während sie überlegte, kaute sie fortwährend auf ihrer Zunge herum, wahrscheinlich um das Unverständliche in sich weich zu bekommen, den Tataren gleich, die sich hartes Fleisch unter den Sattel legen und darauf herumreiten, damit es weich wird. Aber Depardieu blieb ihr weiter rätselhaft.

Die Mittwochnachmittage waren zunächst eine Aufbesserung im Leben der Puppe gewesen. Fröhlich befreit war sie in ihrem kleinen Auto ins nächstliegende Städtchen gefahren, hatte sich tapfer vorgesagt, sie tue, was sie wolle, und war oft vier Stunden lang weggeblieben. Aber Depardieu hatte mit der Zeit ihre Schuldgefühle auf so vorbildliche Weise geschürt, daß sie die gewonnene Freiheit schließlich aus Erschöpfung wieder aufgab.

Eine Weile hielt sie trotzdem an ihren Mittwochnachmittagen fest. Jedesmal kaufte sie sich etwas Neues zum Anziehen. Nur wußte sie nie genau was. Ein kleines elegantes Kleid der neuesten Mode für den Abend hatte sie haben wollen für den Fall, daß sie nach Paris fahren würde oder nach New York oder nach Ägypten oder irgendwohin. So hatte sie ihre Träume und Sehnsüchte, obwohl sie wußte, sie würde nie allein fahren und mit Depardieu erst recht nicht. Einmal New York sehen, dachte sie. Das Leben ging so schnell dahin, und sie hatte nichts gesehen. Sie kaufte viele kleine Kleider für den Abend in New York, aber sie fand nie das, was sie sich vorträumte, und alle wurden sofort zum Ändern zu Madame Leroi gebracht und letzten Endes immer auf den Dachboden getragen zu all ihren anderen Träumen. Meistens kaufte sie nur eine Kleinigkeit, aber immer irgendwas Modisches, dennoch sah sie immer ein bißchen unmodern aus, wie von der Aura ihrer stillgestandenen Jugendzeit umgeben. Übrigens hätte daraus ein Aufmerksamer ersehen können, daß etwas ganz Besonderes mit der Puppe los war und daß sie nicht einfach nur ein gewöhnlicher junger Mensch war.

In den Geschäften zerrte sie alles von den Bügeln und Regalen, rannte dann damit mehrere Male auf die Straße, um es eingehend bei Tageslicht zu betrachten, weil das Neonlicht der Boutiquen die Farben verfälschte, denn bei der Puppe mußte alles Ton in Ton genau zu den Sachen passen, die sie schon besaß. Da sie aber keine von den vielen Sachen im jeweiligen Moment bei sich hatte, irrte sie sich ständig, und es paßte nie. Hinzu kam noch das Problem ihrer Puppenfigur und die leidige Angelegenheit mit ihrer ewigen Jugend. Die nichtsahnenden Verkäuferinnen priesen ihr immer sofort die Mode für Teenager an, die damals ziemlich verrückt war und für die Puppe gar nicht in Frage kam. So stand sie jedesmal verzagt und unentschlossen vor einem großen Berg von Hosen, Pullis, Röcken, Jacken, Blusen und kaufte dann schließlich irgend etwas, weil Mittwoch war.

»Madame Leroi kann es mir ändern«, sagte sie sich tröstend, wenn es viel zu groß oder nicht ganz nach ihrem Geschmack war.

Ohne Madame Leroi konnte die Puppe nicht leben. Sie fühlte sich, abgesehen von der Näherei, schicksalhaft mit ihr verbunden, und als sich Madame Leroi an einem zarten, eher hoffnungsberechtigten Frühjahrsmorgen plötzlich erhängte, war es für die Puppe ein echter Schmerz und ein großer Verlust.

Madame Leroi war eine schmale, tapfere und geduldige Frau. An dem nämlichen Frühjahrstag war sie schon über fünfundsechzig Jahre lang geduldig gewesen. Ihr Mann, Monsieur Leroi, war ein rotköpfiger Hackklotz, gegen den selbst Depardieu ein Wunder an Einfühlungsvermögen und Empfindsamkeit war. Madame Leroi litt still unter der Gewalt ihres Mannes, nur manchmal drang ein Seufzer zur Puppe, die für sie der einzige Lichtblick war. Die Puppe gab Madame Leroi ihre besten Klimperklavierratschläge: »Ihr Mann meint es bestimmt nicht böse. Mein Mann ist genauso schwierig, das wissen Sie ja. Er schimpft nur einfach gern. Ich setze mich darüber hinweg und habe mir ein dickes Fell angeschafft. Man muß die Menschen nehmen, wie sie sind, ändern kann man sie doch nicht. Freuen Sie sich an den kleinen Dingen des Lebens, an Ihren schönen Rosen zum Beispiel. Es kommt doch alles anders als man denkt, und es gibt so viel Elend auf der Welt, daß man dankbar sein muß, wenn man gesund ist.« Sie brachte Madame Leroi auch manchmal einen Kuchen mit, und Madame Leroi winkte der Puppe jedesmal lange und sehnsüchtig am Gartentor nach, wenn sie wieder wegfuhr.

Eines Morgens, als ihr Mann gerade zum Holzholen fortgegangen war, nahm Madame Leroi ein frisches weißes Hemd und eine schwarze Krawatte aus dem Schrank, legte beides ihrem Mann auf das gemachte Bett und hängte sich am Kreuz des Schlafzimmerfensters auf. Es war ihr eine schlaflose Nacht zuviel gewesen nach all den Nächten, in denen Monsieur Leroi, befriedigt vom täglichen Schimpfen, laut neben ihr schnarchte und in denen sie die Dunkelheit in sich nicht mehr zum Tag hin zu durchbrechen vermochte. Monsieur Leroi weinte zuerst bitterlich, aber langsam wuchs in ihm neben der Trauer der Zorn. Er setzte sich hinter sein Küchenfenster und starrte in seinen kleinen Rosengarten, weil ihm seine Frau einen so fürchterlichen Streich gespielt und ihn mutwillig verlassen hatte mit einem Strick um den Hals, ohne daran zu denken, wer ihm von nun an seine Suppe kochen und sein Haus aufräumen sollte.

Auch Depardieu schimpfte über das Ereignis und sagte, die Frau müsse den Verstand verloren haben, so etwas tue man seinen Angehörigen nicht an, aber der Puppe zitterten lange die Knie. Eine Art Mondsucht befiel sie. Es war ihr, als sei plötzlich alles um sie her aus Watte, als hätten sich alle festen Gegenstände aufgelöst. Und ein paar Tage lang sah sie immerzu Madame Leroi am Fensterkreuz vor sich. Sie fing an, schlecht zu schlafen und nachts über die Vergänglichkeit nachzudenken und über die Macht der anderen.

»Man muß versuchen, sich durch die eigene Ohnmacht und durch die Macht der anderen nicht zu sehr kaputt machen zu lassen...«

Wo hatte sie diesen Satz gelesen? Wahrscheinlich in einem von Jeandos Büchern. Madame Leroi hatte sich kaputtmachen lassen. Wie hatte das Ganze bloß angefangen und warum? Warum hatte der eine die Macht und der andere die Ohnmacht, fragte sich die Puppe, wer war zuerst vor wem auf die Knie gefallen zu aller Menschen Anfang, damals, als noch alle gleich, noch alle Möglichkeiten offen waren? Die Fragen wuchsen ihr über den Kopf, der ihr schon weh tat. Sie sah keine Lösung, wußte trotz der Aufklärung von Jeando nicht, wie die Menschheit je wieder herauskommen sollte aus der Wirrnis, wo sie doch allein schon nicht herauskam und immer verwirrter wurde, je mehr sie nachdachte. Vielleicht hatte die arme Madame Leroi den einzig richtigen Ausweg gefunden. Die Puppe hatte Angst vor dem Tod, trotzdem konnte sie Madame Leroi gut verstehen.

Die Großmutter, die alte Mutter von Madame Leroi, kam ihr in den Sinn. »Ich muß warten, bis der Herr mich endlich abruft«, hatte die Großmutter fortwährend vor sich hingemurmelt. Madame Leroi hatte darauf nicht warten wollen. Die Großmutter war damals nur noch eine Hülle gewesen, ein leeres schwarzes Kleid, und sie wußte nichts anderes mehr zu sagen, als diesen einen Satz vom Herrn. Man wußte auch nicht ganz genau, ob es dieser eine Satz war, aber sie hatte schon so lange nichts anderes mehr gesagt, daß er es sein mußte. Es klang zuletzt so, als ob man eine quietschende Schranktür aufmachte.

Mitten in der Küche von Madame Leroi hatte ein alter, dunkelroter Plüschsessel gestanden, in dem die Großmutter immer saß. Sie war mit vielen langen Schnüren, wie ein Räuber aus einem Wildwestfilm, an den Sessel gefesselt, ihre Füßchen standen auf einem kleinen Schemel, und auf dem Schoß hatte sie ein Tuch, in dem ein großes Messer lag. »Was macht sie mit dem großen Messer?« hatte die Puppe gefragt. »Das ist für ihren Käse«, hatte Madame Leroi geantwortet. »Sie hat immer

Hunger.« Aber die Puppe hatte weit und breit keinen Käse gesehen, und es war ihr alles recht verdächtig vorgekommen, vor allem, da Monsieur Leroi so böse auf die Alte blickte und man genau merkte, wie widerwärtig sie ihm war. Die Großmutter war damals schon achtundneunzig gewesen, ein Schatten und nur noch eine Last. Sie war etwas ganz Abstraktes, kein Mensch, keine Mutter mehr, aus der schließlich Madame Leroi und viele andere Kinder einmal herausgekrochen waren. Keines von diesen Kindern hatte sie mehr bei sich haben wollen. Sie hatten sie abgeschoben auf den roten Plüschsessel von Madame Leroi, und da saß sie nun gefesselt, mit dem großen Messer auf dem Schoß, und eines Tages waren sie und der Sessel nicht mehr da, nur das Messer lag noch auf dem Küchentisch.

»Oh Nacht, Nacht, Nacht, alles geht ein in die Nacht…« Zu all den Grübeleien lieferte Depardieu der Puppe mit seinem gewaltigen Schnarchen nebenan eine eintönige Hintergrundmusik. Meistens mochte die Puppe das Schnarchen nicht hören und stopfte sich Oropax in die Ohren. Aber in manch schlafloser Nacht war es ihr eine Beruhigung, ein fester Punkt in all dem Durcheinander, und sie schlief endlich ein.

Wenn nach solchen Grübelnächten der Morgen kam, erholte sich die Puppe wie ein Garten nach dem Gewitter. Herz und Klimperklavier trockneten in der Sonne und fingen wieder an zu glänzen. Hoffnung stieg ihr mit dem Duft von Depardieus Morgenkaffee wohlig in die Nase, und nur, wenn Depardieu zum zweitenmal »dépèche-toi!« heraufrief, mußte sie wieder an die arme Madame Leroi denken.

Depardieu langweilte sich immer weiter. Während die Puppe an Schuldgefühlen litt, weil er sich so entsetzlich langweilte, fühlte er sich eigentlich recht wohl dabei. Die Langeweile hatte seine Haut mit einer dicken Lavakruste überzogen, die ihn gut wärmte und schützte. Nur an einer Stelle mußte, so wie bei Siegfried, ein Lindenblatt auf ihn gefallen sein, denn ein Fleck war durchlässig geblieben, und dort bekam Depardieu plötzlich eine Blüte, von der gleich berichtet werden soll.

Zunächst aber soll noch von seinem Sohn François und von einem Weihnachtsessen erzählt werden. Dieses Weihnachtsessen nämlich belustigte Depardieu. Depardieu war an Weihnachtstagen besonders schlecht gelaunt wegen des ganzen Aufwandes, der nicht ihm galt, und er weigerte sich jedesmal, auch nur ein kleines Stück vom festlichen Truthahn zu kosten.

Der Sohn François war ein stiller, verschlossener Mensch, in dem Depardieus Patriarchentum tiefe Narben hinterlassen hatte. Verheiratet war er mit Jane, einer Amerikanerin, die er auf einer Mittelmeerclubreise kennengelernt hatte. Er besuchte mit Frau und Kind seine Eltern fast so häufig wie Undine, nahm aber am Familienleben ebensowenig teil wie sein Vater, sondern saß in seiner Verschlossenheit mit riesigen Kopfhörern da und lauschte klassischer Musik, während die Frauen schnatterten und die Kinder schrien.

Zu jenem Weihnachtsessen hatte Jeando einen Gast eingeladen, einen schönen, lockenköpfigen Lehrer, der kein Elternhaus mehr hatte. Depardieu, der Fremde in seinem Haus nicht ausstehen konnte, hatte den ganzen Tag lang schon unaufhörlich Champagner in sich hineingegossen und saß nun zusammengesunken, die Serviette wie immer in den Mund geklemmt, stumm am mit Kerzen und Austern beladenen Tisch. François saß ebenso stumm neben ihm und warf forschende Blicke auf den Gast, dessen frischgewaschenes Lockenhaupt ihn irritierte.

Um das peinliche Schweigen von Vater und Sohn zu überbrücken, redete Jeando viel und lebhaft über alles mögliche. Zuerst redete er über die Bedeutung von Träumen, was François noch stumm bleiben, Depardieu aber aufhorchen ließ. Er schob die Serviette einen Zentimeter beiseite und sagte, das sei alles Blödsinn, denn er träume nicht, er wisse nicht, was das sei, ein Traum, er habe in seinem ganzen Leben nicht geträumt.

»Jeder Mensch träumt«, belehrte ihn Jeando. »Man muß nur darauf achten.« Dies schien Depardieu, der schon nicht auf sein Wachsein achten wollte, noch unsinniger als alle anderen Ansichten von Jeando.

Die Schwiegertochter Jane in ihrer amerikanischen Art wollte sofort ein Gesellschaftsspiel aus der Traumdeutung machen. »Jeder nimmt sich vor, heute nacht etwas Bestimmtes zu träumen«, sagte sie, »nach der Theorie, daß immer irgend etwas am Tag Gedachtes im Traum der darauffolgenden Nacht wieder vorkommt, und dann wollen wir es uns morgen ehrlich erzählen und sehen, ob die Theorie stimmt.«

»Zu was soll das denn nutzen?« maulte Depardieu, der viel mehr von seiner Schwiegertochter als von seinem Schwiegersohn hielt, doch dieser Vorschlag von ihr erschien ihm völlig unbegreiflich.

Puppe Wunderhold bewegte während der Unterhaltung ihre Hände so, als ob sie eine Kuh melken würde. Sie aß keine Austern und hing ihren eigenen Gedanken nach, während sie darauf wartete, den Truthahn hereintragen zu können. Es war ihr peinlich, daß Depardieu niemals einer Meinung mit dem Schwiegersohn war und daß er nun noch nicht einmal träumte, wie es alle anderen Menschen taten. Auch schien ihr das Spiel unheimlich. Was wußte sie, was sie träumen würde, vielleicht würde sie von der Schwiegertochter träumen, und auf keinen Fall wollte sie den Traum den anderen erzählen. Unheimlich war ihr überhaupt die ganze Schwiegertochter. »Eine kalte Person«, dachte sie. »Typisch amerikanisch, vom Ehrgeiz zerbissen, François kriegt bei der kein Bein auf die Erde. Sie will vierzehn Tage allein in den Süden, da stimmt doch etwas nicht...«

Jeando hatte das Traumthema beendet. Er rief über die angehäuften Austernschalen hinüber seinem Freund zu, die Bibel sei faschistisch, Marx überholt und Proust reaktionär, und kam dann auf die Terroristen zu sprechen, die damals in vielen Ländern ihr Unwesen trieben.

François, der interessiert zuhörte, fing auf einmal an, die Oberlippe an einer Ecke in die Höhe zu ziehen wie ein Hund, der gleich beißen will. Depardieu hingegen waren bei diesem Thema die Augen zugefallen. Er wachte erst wieder auf, als François, ganz gegen seine stille Art, auf den Tisch schlug und schrie, das ginge denn doch zu weit! Der Gast hatte Sartres Besuch bei der Bader-Meinhoff-Gruppe im Gefängnis gut gefunden. François platzte der Kragen. Er erhitzte sich so gegen die Terroristen, daß er die sofortige Todesstrafe für alle wollte, am besten für Jeando und den Gast gleich mit.

»Das sind doch keine Weihnachtsgespräche«, sagte die Puppe, die sofort Angst bekam. »Könnt ihr nicht über was Fröhliches reden?«

Depardieu, belebt durch die Meinungsverschiedenheiten, öffnete eine neue Flasche Champagner, der Hund kläffte, das Baby schrie.

Jeando machte eine kurze friedliche Pause, begann dann aber, vielleicht, um den Schwager zu ärgern oder um den etwas verstörten Gast aufzumuntern, von Ödipus zu reden, ganz besonders von einem gerade erschienenen Buch mit dem Titel »Der Anti-Ödipus«. Die alte Komplexglut unter der Asche von François' Seele schlug plötzlich auf zu hellen Flammen, so daß sie den am Tisch Sitzenden fast die guten Weihnachtsjacken verbrannten. François kannte das Buch, aber es war ihm unverständlich, und er behauptete, daß es jedem noch so intelligenten Menschen unverständlich sein müsse, ganz besonders aber Schwager Jeando und seinem Kollegen. Seine Wut auf die Intellektuellen-Bande war nicht mehr zu halten. Er erhob sich, fuchtelte wild mit den Armen in der Luft herum und schrie: »Man soll nicht höher furzen, als der Arsch ist, meine Freunde.« Dann ging er beleidigt hinauf in sein Zimmer, ließ sich aber noch Eistorte von seiner Frau nachbringen.

Der Teufel war los am heiligen Weihnachtsabend, und die friedlichen Engelein flüchteten entsetzt flatternd aus dem Fenster. Für Depardieu war es der beste Weihnachtsabend seit Jahren. Er wurde immer fröhlicher, je lauter sich die anderen zankten und grunzte begeistert »Ho-ho-ho-ho« hinter seiner Serviette.

Nur die Frauen weinten, und sie weinten weiter am nächsten Tag, denn François, von grimmiger Entschlossenheit gepackt, reiste ab. Er wollte keine Stunde länger mit seinem Schwager und dessen linken Ansichten unter einem Dach bleiben.

Depardieu war über Nacht seine gute Champagnerlaune völlig vergangen. Er drohte, Jeando auf die gleiche Art hinauszuwerfen, wie er es seinerzeit mit der Blutwurst gemacht habe, wenn er weiter auf diese Art Unfrieden stiften würde, und die Puppe, hin- und hergerissen zwischen Depardieu–François rechts, Jeando–Undine links, bekam wieder ihre Atemnot.

Depardieu hatte noch einmal eine kurze Blütezeit. Wie jene seltene Kakteenart, die man Königin der Nacht nennt, und die nur ein einziges Mal zu später Stunde eine große, weiße Blüte hervorbringt, so blühte auch Depardieu für einen Moment. Plötzlich war etwas in ihm erwacht, etwas, das er nie zuvor gekannt hatte: die Freude. Er ging nicht mehr allabendlich schlecht gelaunt mit seinem Dackel die Treppe hoch, um sich früh schlafen zu legen, sondern er blieb unten hinter der Tür in seinem Sessel sitzen und horchte auf die Schritte eines Menschen. Dieser Mensch war Massimo Rossi, der als Vertreter des Arztes, der nach einem Autounfall im Krankenhaus lag, ins Städtchen gekommen war.

Massimo Rossi, ein lebhafter junger Franzose italienischer Abstammung, war mehr Zauberer als Arzt. Er erschien, und plötzlich wurde es hell. Es war, als habe er ein Feuerchen unter den trockenen Gemütern der Leute entzündet. Alle hatten auf einmal ein kleines Leiden und liefen zu Massimo wie zu einer Quelle mit heiligem Wasser. Aber zum Blühen brachte er nur Depardieu. Warum ausgerechnet Massimo Rossi der Erwählte war, der Depardieus durchlässige Stelle fand und eine Blüte daraufsetzte, ist nicht zu erklären. Das sind die Geheimnisse der Liebe, die kein Mensch kennt.

Depardieu war wie umgewandelt. Er war freundlich und redselig zu den Kunden und schenkte den Kindern sogar Bonbons. Allerdings redete er nur von Massimo. Wohl zehnmal am Tag wiederholte er voll Bewunderung die gleiche Geschichte:

»Wenn dreißig Patienten auf Rossi warten, so stört ihn das nicht. Er nimmt sich immer die Zeit, genau das zu tun, was er will. Er sagt zu der Haushälterin, die so etwas gar nicht begreifen kann: ›So, Madame Paulette, jetzt will ich erst mal ganz in Ruhe eine Zigarette rauchen, eine Banane essen, eine schöne Schallplatte hören und eine Tasse Kaffee trinken.‹«

»Ho-ho-ho-ho«, lachte dann Depardieu, »eine Banane will er essen, und eine Schallplatte will er hören, ganz in Ruhe, und die Leute läßt er einfach warten.«

Wenn Depardieu am Abend Massimos Schritte nicht hörte, goß er, um sich Mut zu machen, zwei Gläschen mehr als gewöhnlich in sich hinein und griff zum Telefon, das er sonst immer nur zum Fenster hinauswerfen wollte. »Es wartet hier ein besonders guter Tropfen auf Sie, wenn Sie noch etwas vorbeikommen wollen«, sagte er. Und Massimo, der in diesem gottverlassenen Nest nichts Besseres zu tun hatte, kam gern.

Depardieu kaufte Gänseleber für Massimo. Depardieu kaufte die besten Weine. Depardieu hatte sogar so etwas wie Erinnerungen, wenn Massimo am Abend zu Besuch kam. Er packte aus wie einer, der aus einer alten, vergessenen Schiffskiste lauter Schätze hervorkramt. Er erzählte von der großen Familie, aus der er kam, von dem Haus in Paris mit seinen zwanzig Fenstern zum Bois de Boulogne, von Amelies Haus am Meer, und er erzählte sogar voller Stolz vom Waldluft-Vetter, den er sonst nicht ausstehen konnte, weil er mit seinen lächerlichen Pastillen, einem Wundermittel gegen Leiden aller Art vom Husten bis zur Verstopfung, zu einem der reichsten Männer Frankreichs geworden war. Jedesmal, wenn ein Kunde in der Apotheke Waldluftpastillen verlangte, mußte er diesen Ärger mit einem Schnaps hinunterspülen.

Was niemand seit Jahren erreicht hatte, erreichte Massimo Rossi: Depardieu ging abends manchmal aus und besuchte den Doktor. Er wurde sogar seiner Scheibe Schinken abtrünnig, was entsetzliche Folgen hatte.

Singend hatte Massimo, als Depardieu und die Puppe bei ihm zum Abendessen eingeladen waren, einen riesigen Topf selbstgekochter Spaghetti auf den Tisch gestellt und Depardieu einen großen Teller davon aufgehäuft. »Tra-la-la«, sang er fröhlich, »so macht man das in Italien, Monsieur Depardieu, man muß einen ganzen Berg davon essen.«

Depardieu saß erschrocken hinter diesem weißen Berg mit der drohenden roten Sauce, griff ihn aber plötzlich todesmutig wie ein alter Stier an und stopfte ihn bis zum letzten Rest in sich hinein. Dann wurde er kreidebleich und sagte nur noch schwach, er müsse mal eben den Hund herauslassen. Als er gar nicht wiederkam, wurden die Puppe und Massimo unruhig und liefen auch hinaus. Depardieu lag wie tot mitten auf dem einsamen Marktplatz, und der Hund schnüffelte traurig an ihm herum. »Ach Gott, ach Gott«, jammerte die Puppe. »Sie haben ihn umgebracht mit ihren Spaghettis.«

Depardieu mußte Bluttransfusionen bekommen und tagelang das Bett hüten, trotzdem wollte er nicht zugeben, daß es der Spaghetti-Berg war, der ihn beinahe begraben hätte. Er aß sogar in seinem Liebeswahn noch mehrmals Spaghetti à la Bolognese, allerdings weniger, und er verdaute wohl auch besser, weil er während des Essens dicke Tränen über Massimos Witze in seine Serviette lachte.

Als Massimo die Puppe zum erstenmal sah, hatte er sich gewundert, daß der doch ziemlich betagte und wenig schöne Depardieu noch eine so hübsche junge Frau bekommen hatte, bis er von einigen Alten erfuhr, daß Depardieu nie eine andere Frau gehabt und daß immer dieselbe Madame Depardieu seit dreißig Jahren in der Apotheke bedient habe. Da staunte Massimo Rossi noch mehr, das heißt, er war geradezu fassungslos und witterte sofort etwas ganz Besonderes. Er war wie besessen von manch wunderlichen Gedanken und wollte nicht eher ruhen, bis er das Geheimnis der Puppe herausfinden würde.

»Nein, so was«, sagte er immer wieder zu Depardieu, wenn sie des Abends beeinandersaßen und den guten Wein tranken. »Mamma mia, das darf doch der Wissenschaft nicht verlorengehen, so ein Wunder der Natur! Das ist doch ganz etwas Einmaliges, und wenn man herausfände, was Ihre Frau so jung erhält, könnte man todsicher Millionen damit machen. Da ist etwas Unglaubliches im Gange, und Sie bemerken es überhaupt nicht...«

»Ich bemerke es schon, aber das nützt mir nichts«, brummte Depardieu und gab sogar zu, daß er die Puppe, während sie schlief, oft heimlich mit der Lupe absuche, überall, und daß sie nirgendwo eine Falte habe und daß alles noch völlig straff sei wie bei einer Jungfrau, welche Vorstellung Massimo ganz unruhig machte.

»Da haben Sie's«, rief er aufgeregt. »Ihre Frau gehört einer ganz neuen Rasse an! Sie müssen doch zugeben, daß der Schöpfer mit der unseren manch großen Mist gebaut hat, das kann ich als Arzt am allerbesten beurteilen. Vielleicht hat Er jetzt endlich den Unsinn, den Er gemacht hat, eingesehen und will nun einen ganz neuen Typ herausbringen, einen, der jung bleibt und dabei zweihundert Jahre alt wird oder gar zweitausend, wie ein Olivenbaum.«

Massimo sprang von seinem Stuhl auf und warf die Arme in die Höhe. Er arbeitete sich in so eine verrückte Begeisterung hinein, als ob seine Mannschaft gerade bei der Fußballweltmeisterschaft gewinnen würde. – »Menschensgüte«, schrie er, »da haben Sie Gold unter der Nase liegen und tun nichts damit! Ihre Frau ist der Schlüssel zu einem ganz großen Geheimnis, das gebe ich Ihnen schriftlich! Der Mensch kann ja noch gar nicht die Krone der Schöpfung sein, mit dem bißchen Leben und der Misere, die er dabei durchmachen muß. Natürlich ist der Mensch toll geplant, aber er lebt zu kurz, das ist die größte Scheiße an der Erfindung! Dieser ganze komplizierte Aufwand und das alles für so kurze Zeit! Das lohnt ja gar nicht. Was sind denn schon lumpige achtzig Jahre, von denen man vierzig alt und häßlich ist und obendrein noch krank, wollen Sie mir das sagen?«

Depardieu war hocherfreut, daß er etwas besaß, was Massimo so begeisterte, auch wenn es nur die Puppe war, konnte aber beim besten Willen dessen Gedankengängen nicht ganz folgen und glotzte betreten in sein Weinglas. Er fand sein Leben lang genug und war froh, zu dem alten, mißlungenen Menschentyp zu gehören. Auch konnte er sich kaum vorstellen, daß ausgerechnet die

Puppe so etwas Neuartiges sein sollte, besser als Adam und Eva. Er hatte die größten Befürchtungen, daß Massimo da aufs falsche Pferd setzte und eine Enttäuschung erleben würde, was ihn im vorhinein ganz unglücklich machte.

»Das nützt alles nichts«, sagte er schwach, aber Massimo ließ sich nicht stören und spann eifrig seinen Faden weiter.

»Wenn es stimmt, daß es, wie die Christen behaupten, einen Himmel gibt, dann wäre es für den lieben Gott schon aus Platzgründen angebracht, einen Menschen zu erfinden, der nicht so schnell stirbt, und auch die Seelen brauchten nicht mehr so schnell zu wandern. Aber wie auch immer, es wäre doch gelacht, wenn wir dem Patent nicht auf die Spur kommen könnten. Mit Ihrer Frau wird da irgend etwas Neues ausprobiert, das ist ganz klar. Sehen Sie sich doch die anderen Frauen ihres Alters an – runzlig bis dorthinaus, trotz aller Kosmetik! Die ewige Jugend, das ist es, wonach alle verlangen. Nur muß man herausfinden, wie das Geheimnis funktioniert. Sie werden damit mehr Geld verdienen als Ihr Waldluft-Vetter mit seinen Pastillen.«

»Ho-ho-ho-ho«, lachte Depardieu, denn die Idee, seinem geizigen, reichen Vetter eins auszuwischen, freute ihn. Trotzdem überwog seine Skepsis, und er unkte immer weiter vor sich hin: »Das nützt alles nichts, mein lieber Freund, das wird alles nichts nützen.«

Massimo setzte es durch, daß das Blut der Puppe untersucht wurde, was allerdings wirklich zu nichts führte, wie schon früher erwähnt in dieser Geschichte.

»So einfach ist eben die Sache nicht«, sagte er und wollte nicht aufgeben. »Was ist denn schon eine lächerliche Blutuntersuchung für so etwas Außerordentliches?« Bis zuletzt, das heißt, bis er wieder aus Depardieus Leben verschwand, war er fest davon überzeugt, daß er den Stoff, aus dem die Puppe gemacht war, herausgefunden hätte, wenn er nur richtig hätte weiterforschen können. Dazu hätte er aber zumindest die Unterstützung der Puppe haben müssen, denn Depardieu, der kein geborener Forscher war, nützte ihm rein gar nichts. Jedoch die Puppe dachte nicht daran, Versuchskaninchen zu sein, und wehrte sich störrisch gegen jede Mitarbeit. Sie hatte überhaupt die ganze Angelegenheit mit ihrer ewigen Jugend satt, da es ja meistens so ist, daß die Leute auf Erden nicht zufrieden sind mit den himmlischen Gaben, die sie mitbekommen haben. Der Große will klein sein, der Dicke dünn, der Schwarze weiß, der Empfindsame hartherzig, der Buckelige gerade und so ewig fort. Die Puppe wollte eben alt sein und nicht anders als andere Menschen. Der Fluch der Auserwähltheit lastete schwer auf ihr, der Jammer des Zeitvergehens beschäftigte sie unentwegt, und die vielen Widersprüche konnte sie kaum mehr verkraften. Vielleicht hätte sie ein Pionier für irgend etwas sein können, aber dazu hätten die Götter ihre innere Natur der äußeren anpassen müssen. Doch so – halb aufgefressen von der Mutter und für immer in Depardieus Schmetterlingsnetz gefangen – fehlte ihr die innere Kraft zur äußeren ewigen Jugend. Allein die Vorstellung, daß an Massimos Spinnereien etwas Wahres sein könnte und daß sie Depardieu oder gar die geliebte Undine um viele Jahrzehnte überdauern würde, jagte ihr genug Schrecken ein, um an ihrem Leben müde zu werden. Warum sollte ausgerechnet ihr eine solche Grausamkeit widerfahren? Sie verwünschte Massimo und die ganzen Flausen, die er Depardieu in den Kopf setzte. Die Chancen, die ihr gegeben waren, wußte sie nicht zu nützen. Wie leicht hätte sie einen jungen Liebhaber nach dem anderen haben können, ohne dabei so zu leiden, wie die Frauen ihres Alters, denen nur die Gefühle jung geblieben waren. Aber die Puppe war nicht empfänglich für den Bazillus des Verliebtseins und konnte auch überhaupt nicht verstehen, wieso Depardieu plötzlich so spät noch davon befallen wurde.

Depardieus Blütezeit nahm die Puppe denkbar schlecht auf. Jeando hatte schon vor ein paar Jahren ihr Gewohnheitswägelchen mit seinen politischen Ideen fast zum Entgleisen gebracht. Nun bedrohte sie dieser italienische Hexenmeister, indem er Depardieu verzauberte. Eigentlich hätte sie sich über seine Verwandlung freuen sollen, denn er schrie nicht mehr ganz so oft »dépèche-toi!« und lag nicht mehr auf dem Fußboden, wenn sie an ihren Mittwochnachmittagen zu spät nach Hause kam. Aber sie empfand nur Beunruhigung. »Er kann doch unmöglich verliebt sein«, dachte sie erschrocken. Depardieu hatte sein Leben lang nie den leisesten Hang zu Männern gezeigt, sie begriff das Ganze nicht. Depardieu war schwierig, Depardieu trank, Depardieu war immer gelangweilt, Depardieu tyrannisierte sie. Aber er hatte wenigstens nie Weibergeschichten gehabt. »Das ist mir die Hauptsache«, sagte sich die Puppe immer.

Und nun hatte Depardieu auf einmal eine Männergeschichte und benahm sich wie ein verliebter Schuljunge mit diesem Italiener. Nie war er so mit ihr gewesen, selbst nicht in der ersten Zeit in Amelies Haus am Meer. Depardieu erschien der Puppe plötzlich wie ein Mensch, den sie gar nicht kannte. Sie grübelte viel. Sie lag nachts wieder wach. Sie bekam wieder ihre Atemnot. Sie wurde immer nervöser. Das merkte man an ihrem Daumen, der oft in die Höhe schnellte wie ein Fisch aus dem Wasser, und daran, daß sie nun unentwegt auf ihrer Zunge herumkaute.

Für sie war Massimo Rossi ein Schlawiner, ein übler Zauberer, auf dessen Tricks sie Gott sei Dank nicht hereinfiel. Er hatte ja das ganze Dorf verzaubert. Es fehlte nicht viel, dachte sie, und die Leute würden ihm folgen wie dem Rattenfänger. Allerdings war niemand in so einem Zustand wie Depardieu, und auch Rossi schien Zuneigung für Depardieu zu haben. Trotzdem konnte sich die Puppe nicht vorstellen, daß Massimo ihren alten Depardieu samt seiner Fußballeber lieben wollte. Wenn Massimo wirklich schwul war, würde er sich doch sicher lieber einen hübschen jungen Mann aussuchen. »Wahrscheinlich sieht er in Depardieu nur den Vater«, tröstete sie sich, »oder er hat Angst vor Frauen oder fühlt sich bloß geschmeichelt, daß Depardieu so verrückt nach ihm ist.«

»Peinlich«, sagten Undine und Jeando, »Papa macht sich richtig lächerlich.«

Die Puppe wußte nicht, wie sie sich verhalten sollte. Wenn Depardieu um eine Frau so ein Theater gemacht hätte, so hätte sie es gewußt, aber Massimo war ein Mann, und außer besonderer Fröhlichkeit konnte sie Massimo eigentlich nichts nachweisen.

Daß Massimo nun obendrein so viel Aufhebens um ihre lästige Jugend machte, ärgerte sie ganz besonders. Depardieu hatte bisher alle, die das Thema angesprochen hatten, wie den Ginseng-Wurzel-Amerikaner zum Beispiel, ganz einfach hinausgeworfen. Nun auf einmal tat er interessiert, ja, er hätte die Puppe sogar hergegeben zu finsteren Experimenten, wenn sie es zugelassen hätte. In Schreckensphantasien sah sie sich bereits auf dem Operationstisch liegen wie Frankensteins Monster, sah sich meerschweinchenähnlich mit Sonden und Meßgeräten auf dem Kopf herumlaufen.

Massimo gab überhaupt keine Ruhe: »Warum wollen Sie denn unbedingt alt sein«, bohrte er immer wieder, »das ist ja ganz und gar unverständlich. Stellen Sie sich doch vor, was für eine Wohltäterin der Menschheit Sie werden könnten, wenn man ihr Geheimnis herausfinden würde und wenn niemand mehr alt und scheußlich werden müßte!«

Die Puppe hätte am liebsten geweint. Gerade ihr taten alle armen und einsamen Leute so leid, aber sie glaubte einfach nicht daran, daß ausgerechnet sie dieses Elend abschaffen könnte.

Doch Massimo konnte die Puppe weiterhin durch keine Überredungskunst von seinem Forschungsprojekt überzeugen. Schließlich gab er die Hoffnung auf. »Ein Jammer, was uns da durch die Lappen geht, Monsieur Depardieu«, sagte er. »Da kann man sich nur ordentlich einen ansaufen.« Depardieu war von dieser Lösung ganz erleichtert und holte fröhlich den besten Champagner.

So vergingen die schönen Monate der Freundschaft. Der Arzt des Städtchens wurde wieder gesund, und an einem heißen Spätsommertag verschwand Massimo Rossi in seinem kleinen roten Sportauto wie ein Himmelsbote.

Depardieu litt nicht lange unter dem Abschied, denn leise Ermüdungserscheinungen hatten bereits das Welken der Blüte angekündigt. Er mochte keine Spaghetti mehr essen, die Langeweile kam wieder hoch und schloß die Wunden. Mit Massimos Verschwinden war die Sache für ihn erledigt. Wohl trank er einige Tage gefährlich viel und kratzte sich ein paarmal da, wo er die Blüte gehabt hatte, aber dann war er wie einer, den man aus einer Hypnose aufweckt – er tat so, als ob nichts gewesen sei.

Alles war wieder im alten Gleis, so, wie es vor der Blütezeit gewesen war: Depardieu stand um sieben Uhr auf, führte den Hund zum Pinkeln, kochte Kaffee, machte Morgenwäsche, schrie »dépèche-toi!«, schimpfte mit den Kunden, drohte, die Apotheke zu schließen, trank um zehn sein erstes Bier und so weiter fort wie immer. Die Puppe beruhigte wieder die Kunden – »er meint es nicht so« –, spielte wieder Klimperklavier, nur mit etwas mehr Mühe, was aber niemand, am wenigsten Depardieu, bemerkte. Kam sie an Mittwochnachmittagen zu spät, lag Depardieu wieder lang, und wenn die Mutter zu Besuch kam, wetteiferte er mit ihr um die Puppe wie eh und je. Dann wußte die arme Puppe wie immer nicht, wem sie zuerst gehorchen sollte, Depardieu, der aus der Apotheke »dépèche-toi!« schrie und »ich schließe den Laden, wenn du nicht sofort kommst«, oder der Mutter, die rief: »Du wirst schon sehen, was dir passiert, wenn du mit deiner Mutter nicht spazierengehst.«

Die gute Mutter kam nur noch zwei- oder dreimal nach der Rossi-Zeit zu Besuch, dann starb sie, wovon an anderer Stelle berichtet werden soll, und es wurde immer stiller um die Puppe und Depardieu. Der Sohn François war mit seiner Frau nach Amerika gegangen und Jeando Direktor eines Gymnasiums im Norden Frankreichs geworden, so daß François höchstens alle Jahre einmal und auch Undine viel seltener als gewohnt nach Hause kamen. Die Puppe fühlte sich einsam. Nur Depardieu war zufrieden, daß er seltener gestört wurde, vor allem von dem Schwiegersohn mit seiner roten Freiheitsfahne, mit der er die Puppe verwirrt und etwas aufsässig gemacht hatte.

Auch die Schwestern besuchten die Puppe selten. Johanna war zu sehr in Liebeskummer verstrickt und Alma Elisabeth mit einer ungewöhnlich großen, ungewöhnlich haarenden Bernhardinerhündin behaftet, die nirgendwo willkommen war, schon gar nicht bei Depardieus. Manchmal versuchten ihre Jugendfreunde noch einen Besuch, wurden aber immer sehr schnell von Depardieu vergrault.

»Du solltest ihn einfach verlassen und zu uns ziehen«, sagte Undine, obwohl sie genau wußte, daß die Puppe noch weniger ohne Depardieu leben konnte, als Depardieu ohne sie.

Der Staub lag nun schon seit über dreißig Jahren auf den Giftfläschchen in dem kleinen Schrank der Apotheke.

Der Anstrich des Hauses bröckelte weiter ab.

Das M in der Aufschrift PHARMACIE fehlte noch immer.

Die Fensterläden waren in einem gefährlichen Zustand.

Die Nachtglocke war immer noch mit Heftpflaster verklebt.

Der Wasserhahn im Badezimmer der Puppe tropfte schon ewig.

Die Puppe bahnte sich weiter den Weg zum gelobten Land durch das Meer ihrer Verdrängungen, wie Moses durch das Rote Meer. Wenn sie sagte: »Ich muß den Wasserhahn reparieren lassen«, so hatte das etwas Gespenstisches. Den Flur streichen, eine größere Badewanne, reisen, einmal New York sehen – das waren ihre kleinen Wünsche und großen Träume, die sich nie erfüllten.

Depardieu taten mit der Zeit die Füße immer ärgerlicher weh. Er setzte sich nun noch häufiger in seinen viereckigen Sessel hinter der Tür, die das Zimmer von der Apotheke trennte, und beobachtete durch die Glasscheibe, wie die Puppe beim Verkaufen zwischen den Regalen mit kleinen Hüpfschritten hin- und hersprang und dabei an das kleine flinke Glöckchen erinnerte, das früher am Weihnachtsabend die Freude ankündigte. Manchmal, wenn sie sich die Leiden der Kunden anhörte, stieß sie, ähnlich den Tauben, einen Gurrlaut aus, der oui-oui oder ach-ach bedeuten sollte. Dabei stand sie neuerdings immer etwas schräg, den Kopf zur Seite geneigt, als ob der Westwind zu stark blasen würde. Depardieu hatte das Alter des Ruhestandes längst überschritten, aber obwohl er fortwährend zu schließen drohte, schloß er die Apotheke bis zu seinem Tode nicht. Er wußte, dann wäre das Leben noch langweiliger, als es ohnehin schon war – jeder Tag ein öder Sonntag. Und wo hätte er nach dem Verkauf der Apotheke auch hinziehen sollen. Kein Ort, kein Land war ihm erstrebenswert. Einzig der Gedanke an einen Wohnwagen ohne Bad schien ihm manchmal Spaß zu machen, aber das sagte er vielleicht auch nur so, um der Puppe einen Schrecken einzujagen.

Nie mehr geschah etwas Besonderes. Die Menschen wurden abgenagt von der Zeit wie ein alter Hundeknochen, nur die Puppe blieb gleich jung. Aber niemand nahm mehr Notiz davon. Auch Depardieu war die Sache langweilig geworden, und er hatte seine Faltensuchlupe endgültig weggelegt. Nur Johanna, die damals gerade in den Wechseljahren war und das Alter wie den Teufel fürchtete, beneidete die Schwester glühend, während Alma Elisabeth, Meisterin düsterer Vorhersage, sagte: »Paß auf, die Puppe wird eines Morgens aufwachen und schlagartig runzlig sein, und das ist dann schlimmer als alles andere.« Aber kein solcher Morgen kam. Die Puppe litt immer mehr. Sie bekam immer mehr Angst. Die Furcht, daß sie vielleicht ewig weiterleben und nicht beizeiten normal sterben könnte, lähmte sie. Schon der Schmerz über den Tod der Mutter wollte nicht mehr heilen. Und der Gedanke, Depardieu oder gar Undine überleben zu müssen, stürzte sie in tiefe Verzweiflung. Die Melancholie lag schon morgens wie ein Zementsack auf ihrem Klimperklavier. Sie wurde immer müder. Müde an den gleichen Handbewegungen – jeden Abend das Bett abdecken, die fünfzehn kleinen Kissen wegtun usw. – und müde an Depardieus Dépèche-toi-Schreizwang, der sich in ihrem Kopf festgesetzt hatte wie ein Ohrensausen, das man nicht mehr losbringt. Aber noch schlimmer als »dépèche-toi!« zu hören, war ihr die Vorstellung, »dépèche-toi!« nicht mehr zu hören oder die gleichen Handbewegungen nicht mehr zu machen und trotzdem weiterleben zu müssen, vielleicht noch zweihundert Jahre, wie Massimo gesagt hatte.

Wie schön wäre es gewesen, wenn die Puppe mutig und neugierig über diese Dinge hätte nachdenken können und wenn sie wirklich weitergelebt hätte! Aber es war nicht so, es war ja alles ganz anders, und die Geschichte der Puppe nahm ein schlimmes Ende.

Puppe Wunderhold sprang eines Tages plötzlich aus dem Badezimmerfenster. Als sie in ihrem Sarg lag, so schön und still und klein und zierlich, sah sie immer noch aus wie eine der großen Puppen in einer Schachtel, die zu Weihnachten das Entzücken der Kinder sind, und man hätte sie unter einen Tannenbaum legen mögen.

Der Tag, an dem sie starb, war ein klarer, leuchtender Tag, ein Tag, so schön, als ob es keinen Kummer gäbe. Das Badezimmerfenster stand offen, es hatte seine Arme weit ausgebreitet und sah mit dem blauen Himmel dahinter aus wie die blaue Brust der Mutter Gottes, die bereit war, die Puppe an ihr Herz zu nehmen.

Es geschah alles ganz schnell und ohne besonderen Grund. Depardieu hatte gerade »dépêche-toi!« gerufen und hatte es dieses Mal bestimmt nicht so gemeint, denn seitdem die Mutter tot war, Undine seltener kam und er mit fast niemandem mehr konkurrieren mußte, war es ihm eigentlich egal, ob die Puppe sich beeilte oder nicht. Es fiel ihm nur nichts anderes zu schreien ein nach all den Jahren. Die Gewohnheit war so stark geworden, daß sich »dépêche-toi!« ganz von allein schrie. Aber als die Puppe es an diesem einen wunderbaren Morgen hörte, wurde ihr plötzlich übel. Sie verspürte einen unerträglichen Druck und zugleich eine übermäßige Sehnsucht, Sehnsucht nach Luft oder nach Freiheit. Sie wurde unwiderstehlich angezogen von der blaugoldenschimmernden Brust da draußen und wollte sie über alles gern berühren. »Das Wichtigste ist das Blau des Himmels«, hatte sie oft gesagt, »was ist tröstender und verheißender als das Blau des Himmels« – das Blau, die blaue Brust der Mutter Gottes, an die sie sich warf. Sie machte einen großen Schritt, und für den Bruchteil einer Sekunde, der bereits von der Ewigkeit war, war ihr Herz erfüllt von schwindelnder, sie bis ins Unendliche erweiternder Freude. Dann spürte sie nichts mehr. Nichts, von dem wir wissen.

Der Metzger von gegenüber, der gerade nichts zu tun hatte und, als das Schreckliche geschah, vor seiner Tür stand und in die Hitze glotzte, behauptete, er habe die Puppe durch die Luft fliegen sehen wie einen Engel, eine Behauptung, die er später noch ausschmückte, aber die Leute, die ihm zuhörten, mochten ihm nicht glauben. Die Zeit der Engel war lange vorbei, das waren alte Märchen, sagten sie. In der Zeit, in der die Puppe lebte und starb, gab es bloß Mörder und Gangster, Attentäter und Flugzeugentführer, sonst nichts. Außerdem war Madame Depardieu wohl gütig und besonders schön und immer jung gewesen, aber doch beileibe kein Engel, der fliegen konnte. Die Leute dachten, der Metzger habe bei der Hitze zuviel Wein getrunken, und der sei ihm zu Kopf gestiegen. Trotzdem mag an seiner Behauptung etwas Wahres gewesen sein, denn die Puppe war nicht schwer auf das Pflaster aufgeschlagen, so wie es mit Menschen geschieht, sondern eher gefallen, wie eine Feder fällt oder ein Herbstblatt.

Depardieu war verzweifelt. Er nahm an, die Puppe sei versehentlich aus dem Fenster gefallen, was auch leicht hätte sein können, denn die Fenster der alten Häuser in Frankreich waren so tief heruntergezogen, daß man beim Hinauslehnen, sofern sie keine Gitter hatten, nur allzu leicht das Übergewicht verlieren konnte. Niemals kam ihm der Gedanke, die Puppe könne absichtlich hinausgesprungen sein.

Er war verzweifelt. Er kannte den tiefen Schmerz

nicht. Er hatte nur ein einziges Mal etwas annähernd Ähnliches empfunden, als Amelie gestorben war. Aber das, was er damals gefühlt hatte, war schnell wieder verflogen, weil die Puppe anfing, ihm Amelie vollkommen zu ersetzen. Nun aber, da die Puppe nicht mehr da war, war er dem Schmerz hilfloser ausgeliefert als viele andere Menschen, die sich durch ständiges Üben in Schmerzerfahrung einen Panzer angelegt hatten.

Depardieu hatte bisher nicht viel an den Tod gedacht und wenn, dann nur an den eigenen, der ihn aber nicht sehr beunruhigte, da ihn ja auch das Leben mit seiner ewigen Langeweile nicht sonderlich interessierte. Ordnungshalber hatte er eine Gruft neben Amelie auf einem Pariser Friedhof für sich und die Puppe gekauft, und damit war das Problem für ihn erledigt. Nun war er plötzlich fassungslos. Er wußte nicht, wie er die Leere um sich herum aushalten sollte. Es war ihm nicht die geringste Möglichkeit gegeben, den Tod der Puppe zu begreifen und sich den Verlust verständlich zu machen. Der Schmerz besetzte ihn ganz und betäubte ihn, so daß er in einen komaähnlichen Zustand geriet und nur noch Bier oder Wein trinkend in seinem viereckigen Sessel saß und vor sich hinstarrte. Undine und François boten sich an, den Vater zu sich zu nehmen, aber Depardieu lehnte es ab. Er wollte und konnte sich nicht mehr vom Fleck rühren.

Die Apotheke wurde von einem Fremden übernommen, die Glasscheibe, durch die er so gern die Puppe beobachtet hatte, mit einem dicken Vorhang verhängt. Er aß fast nichts mehr, teilte nur ab und zu einen Hundekeks mit dem letzten uralten Filou, der ihm nicht mehr von den Füßen wich und der auch nichts mehr fressen mochte, seitdem er die Puppe überall gesucht und nirgendwo gefunden hatte. Depardieu starrte vor sich hin und trank. Er trank, bis ihm eines Tages die Leber und das Herz zerrissen und er in seinem viereckigen Sessel für immer zusammensank.

3. Kapitel
Johanna und Gustave Ziborrah
Eine unglückliche Reise

Es war einmal ein Hotelzimmer, das lag mitten im dampfenden Mailand. Dort sollte Johanna an einem widerlich heißen Augusttag, der eine wahre Zumutung war, auf Gustave Ziborrah warten.

An manchen Tagen brachte Johanna alles zum Leiden, selbst ihr Hund. Sie hatte den Hund mit nach Mailand genommen, um ihm eine Freude zu machen, denn auch er liebte Gustave Ziborrah. Aber Mailand war heiß wie die Hölle, und der Hund freute sich gar nicht, in dieser Hölle gebraten zu werden, und schlich hinter Johanna her wie ein verendendes Krokodil. Er nahm Johanna die Hitze übel, und Johanna fühlte sich wieder einmal schuldig. Sie suchte eine Wiese für den Hund, weil er nur auf Wiesen pinkeln wollte. Aber an den Tagen der Unsicherheit und Melancholie lief sie immer in die verkehrte Richtung – dort, wo sie hinlief, gab es weit und breit keine Wiese, es gab bloß eine »Questura«, vor der zwei schwitzende Polizisten standen.

»Per favore, dove...«, sagte Johanna, aber sie redete nicht weiter, weil sie nicht wußte, was Wiese auf italienisch hieß.

Statt dessen durchfuhr sie ein Schrecken, denn sie dachte, die Polizisten könnten sie fragen, ob sie arisch sei. Sie litt unter der Hitze genauso wie der Hund und war etwas verrückt im Kopf. Sie hatte vor allen Polizisten der Welt Angst und dachte manchmal, sie würden immer noch die Juden verfolgen. »Unsinn«, sagte sie sich, »das ist so viele Jahre her...«

Sie gab es auf, eine Wiese zu suchen, und ging in ein Restaurant. Sie ließ dem Hund Wasser bringen und gab ihm die Hälfte von ihrem guten Fleisch. Der Hund tat einen Schnaufer und legte sich schlafen.

Johanna hatte einen Kloß in der Kehle und brachte kaum einen Bissen hinunter. Sie war so aufgeregt in Erwartung des Wiedersehens mit Gustave und so geschwächt durch ihr langes Unglück, daß ihr die Tränen kamen, sobald sie an ihn dachte, und da sie immer an ihn dachte, kamen ihr immerzu die Tränen. Der Ober sah sie bestürzt an. Johanna zeigte auf den Hund, der so aussah, als wollte er jeden Augenblick sterben.

Das Restaurant war ganz leer. Es war noch viel zu früh und obendrein viel zu heiß zum Essen. Nur der Ober stand da, die Hände auf dem Rücken und glotzte Johanna an.

»Ob es eine Möglichkeit geben wird«, dachte Johanna. Sie war von Nervosität zerbissen. Sie hätte sich überall kratzen mögen, aber sie schämte sich vor dem glotzenden Ober. So blieb sie reglos sitzen, nahm nur ab und zu einen Schluck Weißwein und ärgerte sich, daß ihre Hände zitterten, wenn sie das Glas anfaßte. Sie war naßgeschwitzt, schien für immer festgeklebt auf ihrem Stuhl und wußte nicht, wie sie je wieder hochkommen sollte, ohne diesen Stuhl am Hintern hängen zu haben.

»Die Rechnung bitte«, sagte sie ängstlich nach einer Weile. Sie wühlte wild in ihrer Tasche herum, suchte ihre

Lire zusammen und zahlte dem Ober, der so aussah, als wisse er genau Bescheid über ihr verworrenes Innenleben, in ihrer Unsicherheit viel zuviel.

Johanna zerrte das Hündchen ins Hotel. Es war das Hotel Cavour in der Via Fatebenefratelli, in dem sie mit Gustave Ziborrah verabredet war – irgendwann gegen Abend würde er eintreffen. Johanna war von München mit dem Nachtzug gekommen, Ziborrah kam im Auto von Paris. Am nächsten Tag wollten sie gemeinsam nach Punta Rossa weiterfahren, wenn es den nächsten Tag für sie noch geben würde, was Johanna im Moment bezweifelte. Sie dachte, der Teufel würde sie vorher holen.

»Ich bin Signora Ziborrah«, erzählte sie dem Portier, und es wurde ihr etwas schwindelig, als sie das sagte. Aber schließlich stand es ja so in ihrem Paß.

Sie ging die Treppe hinauf, sicher zum letztenmal aufrecht, so war ihr zumute, legte sich auf das Bett in dem von Gustave vorbestellten Zimmer und fing an zu warten.

»Wenn ich die Angst nicht loswerde, bis Gustave kommt, dann brauche ich erst gar nicht zu hoffen, daß es wieder eine Möglichkeit zwischen uns geben wird«, dachte sie. Aber wie sie die Angst von der Seele wälzen sollte, das wußte sie nicht. Johanna hatte nie sehr viel Einfluß auf ihre Gefühle gehabt, und seit sie so dünn und schwach geworden war, fehlte er vollkommen.

Johanna hatte in den letzten Wochen sehr gelitten, und zwar nicht nur wegen Gustave, sondern auch wegen der plötzlichen Heirat von Richard. An dieser Stelle muß erklärt werden, daß Gustave Johanna ungefähr ein Jahr, bevor sie in diesem Hotelzimmer auf ihn wartete, verlassen hatte, um zu einer anderen Frau nach Paris zu ziehen.

Diese Frau war nicht nur schön und jung und reich und adelig, sondern sie war auch noch berühmt. Sie war ein vielbeschäftigtes Mannequin, ein Top-Modell, wie Gustave stolz sagte, und es schien Johanna, als sei sie das einzige Top-Modell auf der ganzen Welt, denn man konnte keine Zeitung, keine Illustrierte aufschlagen, ohne daß einen dieses Top-Modell in einer Dior- oder Balenciaga-Robe von oben herab anlächelte. Johanna machte darum nur noch selten und sehr vorsichtig eine Zeitung auf. Sogar in einem Film hatte das Top-Modell kürzlich mitgespielt und viel von sich reden gemacht. Von jeher war Johannas schlimmster Alptraum die Furcht gewesen, verlassen zu werden, und vielleicht wäre sie längst, als Gustave sie wirklich verlassen hatte, aus Kummer gestorben oder ins Irrenhaus gekommen, wenn sie nicht Richard begegnet wäre. Richard – oder Dick, wie sie ihn nannte – stand dem Top-Modell an Schönheit fast nicht nach. Hinzu kamen, wie bei dem ermordeten Präsidenten Kennedy, ein strahlendes Wesen und ein unaufhaltsamer Tatendrang. Er war Architekt, und er liebte Johanna, und auch Johanna war es gelungen, mit ihm ein ganz besonderes Glück zu empfinden. Aber sie hatte dabei nie aufgehört, Gustave weiterzulieben und wie das Hündchen seinem Pfiff zu folgen, sobald er in ihre Nähe kam.

Dick, der als Architekt für beständige Bauwerke und feste Bindungen war, bereitete Johannas Zwiespältigkeit großen Schmerz. Johanna müsse ihm schwören, Gustave nie mehr wiederzusehen, sagte er eines Tages, als Johanna wieder einmal mit Gustave geschlafen und dann zu Dick zurückgekommen war, oder auch er würde sie verlassen und die erste Beste heiraten, die zur Treue bereit sei. Wie aber sollte ein Rohr im Winde, eine Ausgelieferte, eine von Gustave Ziborrah Hypnotisierte, so etwas schwören. Johanna konnte es nicht. Trotzdem bekam sie einen Nervenzusammenbruch und nahm ungefähr zehn Pfund ab, als Dick das ganze Hin und Her wirklich satt hatte und seine Drohung wahrmachte.

Hat der moderne Mensch noch Hoffnung? Johanna fand, daß sie dieser Artikel in der Abendzeitung, die ihr der Schlafwagenschaffner geschenkt hatte, womöglich etwas anginge. Und so las sie ihn trotz ihrer Abneigung gegen Zeitungen seit Gustaves Liebe zu dem Top-Modell.

»Der moderne Mensch ist sogar dann noch depressiv«, hieß es in dem Artikel, »wenn er es nicht bemerkt. Mit den verschiedensten Mitteln versucht der moderne Mensch, den Hohlraum seines Inneren auszufüllen und sich ein starkes Lebensgefühl vorzutäuschen, das er aus sich selbst nicht mehr hat.«

Ein herrliches Wesen, der moderne Mensch, eine einzige Täuschung, dachte Johanna und fächerte sich mit der Zeitung Luft zu.

Der Dackel schnarchte. Gott sei Dank schien er zufrieden zu sein. Johanna schwitzte. Sie hatte die schweren roten Plüschvorhänge vorgezogen, um sich vor der verbrennenden Welt draußen zu schützen, aber das Zimmer war trotzdem heiß wie ein Brutkasten.

Sie hätte sich gern einen ganzen Eimer voll kühlem Saft bestellt, fürchtete aber, am Telefon nicht verstanden zu werden. An den Tagen der Unsicherheit war ihr jede Telefonistin, jeder Portier ein überlegener Feind.

»Per favore, verstehen Sie bitte meine Situation.« Das war eigentlich der Satz, der ihr noch überall geholfen hatte. In der Klosterschule hatte es angefangen: Ma mère, comprenez ma situation. Please understand my situation.

Blödsinn, so etwas hier zu sagen, dachte sie. Jeder vernünftige Mensch würde sich einfach Saft bestellen. Juice, verdammt, das versteht jeder. Aber Johanna hatte keinen Mut.

Sie ging ins Bad und holte Wasser für sich und den Hund. Das Wasser schmeckte faul. Wahrscheinlich würde sie die Pest davon kriegen.

Es konnte noch Stunden dauern, bis Gustave ankommen würde, und Johanna überlegte, ob sie in ein Kino gehen sollte. Aber der Gedanke an die Außenwelt verursachte ihr Magenschmerzen. Sie wollte nicht heraus aus ihrer Hölle, sie wollte nur warten.

Vielleicht wird mir etwas klar, wenn ich hier auf diesem Bett liegenbleibe und mich überhaupt nicht mehr rühre, dachte sie. Vielleicht kommen mir ein paar Gedanken zu einem Buch. Johannas großer Traum war es, ein Buch zu schreiben über ihr Unglück. Aber vor lauter Unglück kam sie nie dazu.

»Hackenpisser«, sagte sie. »Ich müßte zu meinem Anfang zurückfinden.« – »Schon wieder ein Hackenpisser«, hatte der gute Vater gerufen, als er den Tanten, die oben im Haus wohnten, Johannas Geburt mitteilen wollte, und war die Treppe hinaufgefallen.

»Ma mère, comprenez ma situation.

Wenn ich nur wirklich nachdenken könnte.« Gustave behauptete, Johanna könne nicht nachdenken, sie wisse überhaupt nicht, was das sei. Johanna kamen wieder die Tränen.

In der Klosterschule hatte sie auch immer geweint, vor

Heimweh, Liebe, Zorn und Unerfülltheit.

Damals hatte sie Mère Marie Jourdan geliebt. Und Johanna dachte auf ihrem Hotelbett, daß diese Liebe schon etwas zu tun hatte mit ihrer Liebe zu Gustave jetzt. Gustave liebte es, wenn sie ihm davon erzählte. Mère Marie Jourdan war jeden Abend in ihr Zimmer gekommen, um sie zur guten Nacht zu küssen. Ihre großen Schritte und das Geräusch ihres langen Gewandes, das Johanna schon von weitem in der Klosterstille hörte, waren für sie so aufregend und geheimnisvoll gewesen wie das Rauschen des Windes in den Blättern der Bäume vor Sommergewittern, und wenn sich Mère Marie Jourdans Pfirsichgesicht auf sie herunterbeugte, schoß Johanna solch überwältigende Hitze zwischen die Beine, daß sie unter dem großen Kruzifix, das über ihrem Bett hing, im Handansichlegen zur wahren Künstlerin wurde.

»Vielleicht wäre ich ein ganz anderer Mensch geworden, wenn sie mit mir geschlafen hätte«, dachte Johanna, »vielleicht würde ich hier jetzt nicht langsam sterbend herumliegen und auf Gustave warten. Aber Mère Marie Jourdan war zu fromm und ich zu dumm. Johanna dachte an die Mutter und an deren Pfui-Geschrei.

»Cœur sacré de Jésus, wo ist mein Anfang?«

Johanna hatte Schwierigkeiten mit der Konzentration, vor allem, wenn die Nervosität sie zerbiß. Gustave hatte ganz recht. Gustave hatte immer recht. »Ich bin ruhig, ganz ruhig«, sagte sie, »ich kann ja mal autogenes Training versuchen. Ich bin ruhig, ganz ruhig...« Sie fühlte sich so ruhig wie ein Ameisenhaufen, in den man ein Taschentuch steckt, um die Ameisen zu ärgern. »Ob es eine Möglichkeit für uns geben wird?« Johanna freute sich auf Gustave, trotzdem wurde ihre Angst immer größer. »Vielleicht hoffe ich nicht richtig, nicht stark genug«, dachte sie. »Einer, der richtig hofft, hat doch die Sache schon halb gewonnen.« Ihre Backen glühten, ihre Ohren sausten. Ihr war schlecht vor Aufregung.

Die Zeit schien nicht mehr zu vergehen. Die Zeit stand still, für immer erdrückt von der Hitze. Warten war die Hölle. Johanna lag in der Hölle und wartete auf den lieben Gott.

Ob sie es doch wagen sollte, auf die Straße zu gehen, fragte sie sich, vielleicht zu der Questura mit den zwei zerschmelzenden Polizisten, nur um eine andere Qual als die des Wartens zu empfinden. Was, wenn Gustave überhaupt nicht kommen würde, so wie im Frühjahr, als er auch Krach mit dem Top-Modell gehabt und sich mit ihr am Chiemsee verabredet hatte.

Am Chiemsee war überall Hochwasser gewesen, Regen und Wasser, metertief, auf jeder Wiese versank man bis zum Hals, ach, und Gustave war nicht gekommen, und sie wäre gern in ihrer Verzweiflung ganz im Regen mitversunken, wenn nicht Dick sie davon abgehalten hätte. Die Welt würde untergehen in diesem ewigen Regen, hatte sie damals gedacht, und das wäre dann die Rache gewesen, und jetzt in Mailand dachte sie, die Welt würde verglühen.

»Wenn man an weiter nichts ausgeliefert wäre als ans Wetter, so wäre das schon genug Grund zum Wahnsinn«, sagte sie, »dabei ist das Wetter noch das wenigste. Oh, Herr Jesus, hier oben, am Ende einer Treppe, liege ich aufgebahrt und warte, und wenn Gustave dieses Mal wieder nicht kommt, sterbe ich bestimmt.«

Denn Dick, den Retter, gab es ja wie gesagt nicht

mehr. Der Anwalt, der sie und Gustave geschieden hatte, war auch schon gestorben. Seine Freundin Marylin hatte ihm nichts anderes als sein Capri-Badehöschen im Sarg angezogen, weil das sein liebstes Kleidungsstück gewesen war. Gustave konnte den Anwalt nicht ausstehen und hatte ihm den Tod oft regelrecht an den Hals gewünscht. Einmal hatte er Johanna fast in der Badewanne ertränkt aus Wut über den Anwalt. Johanna wollte weiß Gott keine irdischen Güter von Gustave, aber der Anwalt sagte, um Johanna würde keiner einen Pfifferling geben, wenn sie eines Tages verarmt in der Gosse liegen würde. Er wollte von Gustave so etwas wie Unterhalt für sie, was natürlich ein bürgerliches, noch dazu nutzloses Ansinnen voller Unverstand gewesen war. Nun war Ruhe, und der Anwalt lag friedlich unter der Erde im Capri-Höschen. Johanna hatte ihm noch Blumen gebracht, denn sie mochte ihn gern, obwohl sie auch vor ihm Angst gehabt hatte. Immer hatte sie vor allen Angst.

Sie dachte, daß der Anwalt sie sehr geschätzt und oft darüber nachgedacht hatte, wie sie zu Ruhm und Ehre kommen könnte. »Gnädige Frau«, hatte er gesagt, »lassen Sie Ihre Pinselei. Ich weiß dolle Geschichten über meine Klienten, und diese Geschichten sollten Sie aufschreiben, und dann kommen wir beide ganz groß raus und machen auch noch Geld.« Stundenlang ödete er Johanna mit seinen läppischen Geschichten über irgendwelche vergessenen Filmstars an. Zum Beispiel Pola Negri. »Irgendwer kommt mit Pola Negri in eine Bar«, erzählte er. »Wissen Sie, wo's so rauchig ist und so düster. Und die Pola Negri trägt immer eine Brille. Und dann kommt sie rein und setzt die Brille ab. Und dann wartet sie so lange, bis sie jemand erkennt, und dann setzt sie die Brille wieder auf und sagt: ›Ach, es ist schrecklich, überall wird man erkannt.‹ Und dann geht sie wieder. – Ist doch gut, was? Und so haben wir hundert Geschichten. Und wir schreiben in das Buch, daß wir eine verhängnisvolle Liebe zu diesen wundervollen Menschen haben! Nach außen müssen sie immer den starken Maxen markieren, und dabei sind sie so schwach, und immer muß man sie trösten, diese großartigen Menschen. *La Paloma.* Hans Albers. Ich hatte nicht den Mut, diesem armen, alten Mann zu sagen, daß La Paloma jeder singen könne. Lassen Sie Ihre Pinselei, gnä' Frau, und schreiben Sie diese Geschichten.«

Daß der Anwalt ihre Bilder als Pinselei bezeichnet hatte, empfand Johanna immer noch als beleidigend. »Aber wahrscheinlich war es ja niemals etwas anderes gewesen«, dachte sie. Johanna hatte den Glauben an sich und ihre Sendung, der sie jahrelang so glücklich erfüllt hatte, selbst schon ziemlich verloren. »Das Hündchen soll nicht höher pinkeln, als es sein Bein heben kann«, sagte Gustave, wenn er eins ihrer neuen Bilder sah. »Im Walde blüht der Seidelbast, im Graben liegt der Schnee, das Wort, das du gesprochen hast, das tut mir bitter weh«, summte Johanna vor sich hin. Sie hatte immer im Irrtum gelebt. »Durch unsere Erziehung haben wir drei Schwestern alle im Irrtum gelebt«, dachte sie.

Bis Gustave kam, war sie wie ein Schlafwandler durch den Wald der unzähligen Kunstrichtungen gelaufen. Da sie nicht über die geistigen Mittel verfügte, einer dieser Richtungen zu folgen, malte sie trotzig ihre Träume. Unter anderen Voraussetzungen hätte sie es vielleicht sogar erreicht, zwischen Multi-Media und Hyper-Realismus ihren Mann zu stehen. Aber sie hatte eben diese desperate Veranlagung zum Leiden und zum Pech in der Liebe. Die Liebe und die Eifersucht brachen ihr den Hals. Darum war aus Johanna nie eine große Malerin geworden. Sie ließ sich fressen von der Liebe, unterbuttern, wie Gustave das nannte, und konnte aus dem Leid nicht schaffen. Johanna war nicht stark genug. Leid lähmte sie. Leid war für sie nicht die wundersame Presse, aus der die großen Werke kommen.

»Hackenpisser«, sagte Johanna ärgerlich, »du bist weiter nichts als ein Hackenpisser.« Sie wäre gern berühmt geworden mit ihrer Pinselei, schon um Gustave zu imponieren. Zu Anfang, als sie ihn noch nicht liebte, war er von ihren Bildern begeistert gewesen. Es wäre ihm nie in den Sinn gekommen zu sagen, das Hündchen solle nicht höher pinkeln. Zu Anfang hatte er alles an ihr wunderbar gefunden. Johanna dachte fassungslos an die Flüchtigkeit der Dinge, die Wandelbarkeit der Gefühle. Sie bohrte in ihrem Hirn herum und fragte sich, wann und warum die Liebe wohl einsetze und wann und warum sie wieder aufhöre. Aber sie begriff es nicht.

Und wie immer, wenn sie gar nicht mehr weiter wußte in den Fragen des Lebens, fing sie an, an sich herumzufummeln und hatte die Hoffnung, daß ein Orgasmus sie erleichtern und trösten möge. Aber die Hitze lag auf ihr wie ein Sandsack, unter dem sie sich nicht frei bewegen konnte, und wenn sie sich mit der Zunge über ihren Mund fuhr, so wie sie es immer tat, wenn sie sinnlich wurde, schmeckte alles widerlich salzig.

»Es ist einfach zu heiß«, sagte sie, »es ist keine Erlösung möglich.« Sie stand auf und setzte sich vor den Spiegel. Doch was sie da sah, beruhigte sie auch nicht. Sie fand sich nicht schön. Sie war hohläugig und blaß geworden nach dieser Geschichte mit Dick. »Du siehst aus wie sechs alte Männer!«, würde Gustave wieder sagen.

»Du siehst aus wie die Garbo in ihren besten Momenten«, hatte er gesagt, als er verliebt gewesen war. Dann, später, als er früher als erwartet heimkam nach einem Wochenende mit einer anderen und Johanna gerade Lokkenwickler auf dem Kopf trug und eine dicke rote Nase hatte vom vielen Weinen, sagte er: »Du siehst aus wie sechs alte Männer!«

Johanna nahm ein Bad, um die Salzkruste auf ihrer Haut loszuwerden, und bespritzte sich dann von oben bis unten mit Parfüm. Sie wollte wenigstens gut riechen, wenn Gustave kam. Im Gegensatz zu Gustave, der die meiste Zeit in der Badewanne verbrachte, badete Johanna ungern. Wasser war ihr unheimlich, und sie lebte in ständiger Angst, eines Tages vielleicht darin zu ertrinken. Alles Wasser, das ihr unter Umständen bis an die Nase reichte, wurde ihr zur Bedrohung.

Nach dem Bad legte sie sich wieder auf das Bett und starrte auf die Gipsrose an der Decke. »Wir lieben nicht, was wir unterbuttern«, sagte Gustave.

Unterbuttern.

Johanna dachte, daß es dem anderen lieben Gott wahrscheinlich auch so ergangen war wie Gustave. Erst hatte Er die Welt erschaffen, dann hatte Er sie untergebuttert, dann liebte er sie nicht mehr und ließ Pech und Schwefel auf sie regnen. Zumindest auf die Armen.

»Ein Hackenpisser, der sich unterbuttern läßt. Dabei gibt es auch Hackenpisser, die sich nicht unterbuttern lassen«, sagte sich Johanna neidisch. Die Mutter zum Beispiel oder die Freundin Ruth. Johanna mußte an das lächerliche Brautkleid denken, in das sie sich von Ruth hatte reinzwängen lassen, bloß weil Ruth es entworfen und weil sie einen berühmten Modesalon hatte. Als ob Johanna nicht viel besser ihr eigenes Brautkleid hätte entwerfen können, und zwar eins, das ihr wirklich stand. Aber sie ließ sich eben von allen unterbuttern.

Johanna war bei dem Gedanken an das Unterbuttern wieder sehr nervös geworden. Ihr Magen schien von Heuschrecken befallen. Vom Halsansatz bis zum Bauchnabel fühlte sie einen brennenden Schmerz, und ihr Herz klopfte so stark, daß ihr Kopf von den Stößen wakkelte.

»Ich bin ruhig, ganz ruhig...«

»Für solche wie mich ist das sicher ein Scheiß mit dem autogenen Training«, dachte sie. Sie hatte es zwei Jahre geübt mit dem Psychiater, der immer ganz ruhig war. Aber Johanna war nicht ein einziges Mal ruhig gewesen.

»Ich bin ruhig, ganz ruhig, mein rechter Arm ist schwer... Verdammt noch mal, es muß einem doch gelingen, einen schweren rechten Arm zu haben!«

Gustave behauptete, sie sei auf ihrer Hochzeit dem Psychiater um den Hals gefallen und nicht ihm.

»Please understand my situation, ma Mère, comprenez ma situation.« Wieder stieg die Erinnerung an die Nonne in Johanna auf.

Sie sah Mère Marie Jourdan schmal und hoch im wehenden Gewand durch die langen Klosterkorridore schreiten, ihr Gesicht gottgläubig gen Himmel haltend, den weichen, vollen Mund ein wenig für die Hostie geöffnet. Johanna war eifersüchtig gewesen, wenn sie beobachtete, wie der Priester die Hostie in der Kapelle auf Mère Marie Jourdans Zunge legte.

Der Gedanke an Mère Marie Jourdans Zunge hatte sie sinnlich gemacht, und sie fing an, ihre Brüste zu streicheln. »Möchte wissen, warum ich hier auf meinem Bett so viel an die Nonne denke«, fragte sie sich. »Vielleicht, weil es im Kloster so schön kühl war und es hier so heiß ist oder weil meine Liebe zu Gustave etwas zu tun hat mit meiner verklemmten Liebe zu Frauen oder mit meiner Eifersucht.« Johannas Eifersucht auf die Liebe der Nonne zu Gott, auf ihre selige Hingabe, wenn sie die Hostie aufnahm, war ähnlich der Eifersucht gewesen, die sie später empfand, wenn sie an die Mädchen dachte, die sich Gustave so selig hingaben.

»Der Halsbrecher ist die Eifersucht«, dachte Johanna und wunderte sich, daß es gerade diese quälende Eifersucht war, die wiederum die größte Lust in ihr hervorrief.

Der brennende Schmerz in ihrer Magengrube wurde immer schlimmer, je mehr sie über all die unverständlichen Dinge nachdachte. Dort oben in ihrem Hotelzimmer, dort oben in der Gluthitze, in der sie auf Gustave wartete, während das Hündchen laut schnarchte, versuchte Johanna angestrengt, an die Wurzeln ihres Übels zu gelangen. »Wer bin ich eigentlich?« fragte sie sich. »Ich weiß das immer noch nicht. Richtig lesbisch bin ich bestimmt nicht, aber ganz normal bin ich auch nicht, sonst würde mich der Gedanke an Frauen nicht so erregen. Der Gedanke an manche Frauen – an Ruth zum Beispiel nicht. Ruth hatte eines Tages kurzerhand ihren Mann hinausgeworfen, als er ihr Filzläuse mit nach Hause brachte. Sie hatte sich scheiden lassen und kassierte eine dicke Summe Unterhalt jeden Monat. »Wer bin ich denn«, hatte sie gesagt, »daß ich mir so eine Behandlung gefallen lassen muß. Soll er nur ruhig dafür zahlen, daß er sich aus dem Paradies vertrieben hat mit seinen Filzläusen.« Nein, bei Ruth wurde Johanna nicht sinnlich, auch nicht bei Elisabeth Wilkinson, der Lesbierin in Männerkleidung, die ihr tatsächlich einen Heiratsantrag gemacht hatte. Johanna hatte Elisabeth nach einem ihrer heftigen Liebesangriffe aus Zorn mitten in der Nacht die steile Treppe hinuntergeworfen im Haus von Klaus und Evelyn, bei denen Johanna damals gerade zu Besuch war. Klaus war von dem Gepolter aufgewacht und stand unten an der Treppe in seiner Schlafanzugjacke. »Großer Gott, nun hast du sie umgebracht«, hatte er gesagt, als er Elisabeth so reglos daliegen sah.

Männliche Frauen gefielen Johanna nicht. Sie mochte so weiche, rosige wie Mère Marie Jourdan oder wie die schöne Bäckerin in München, wo sie immer den Honig holte. Die Bäckerin saß da, rosa und zuckrig wie eines ihrer Törtchen, und Johanna hätte sie jedesmal am liebsten gleich verschlungen. Aber außer Mère Marie Jourdan hatte Johanna nie eine Frau richtig geliebt, das heißt mit allen Leiden und Eifersuchtsqualen. Geliebt hatte sie immer nur Männer. Martha hätte sie vielleicht lieben können in ihrem kornblumenblauen Kleidchen, das sie erst wusch und im Fenster zum Trocknen aufhing, bevor sie mit Johanna schlief. Johanna hatte immer nur von Frauen geträumt. In Wirklichkeit hatte sie nie gewagt, sie anzurühren. Nur auf Martha hatte sie sich regelrecht gestürzt. Das war stärker gewesen als die Angst vor dem Pfui der Mutter. Sie hatte alles um sich herum vergessen mit Martha, sogar den alten Robert, der ihr und Martha zusah. Der alte Robert war einer von Johannas Bewunderern, den sie besonders langweilig fand. Aber eines Tages hatte er sie zum Essen eingeladen und von Gott weiß woher Martha herbeigezaubert, und Martha hatte im Restaurant plötzlich angefangen, unter dem Tisch ganz zart Johannas Schenkel zu streicheln. Johanna wurde so schwer und erregt, daß sie mit dem Kopf fast in ihre Krebssuppe gefallen wäre. Und sie hatte es dann so eilig, in Marthas Hotel zu kommen, daß der alte Robert alle Mühe hatte, ihnen zu folgen. Im Hotelzimmer hatte Martha erst seelenruhig ihr Kleidchen gewaschen und sich dann genauso seelenruhig völlig nackt auf das Bett gelegt, die Beine auseinandergebreitet und zu Johanna gesagt: »Komm.« Johanna war ganz wild gewesen, sie hatte alle Scheu verloren, schließlich lag sie zum erstenmal in ihrem Leben auf einer Frau. Sie stöhnte und schrie so laut, daß der alte Robert erschrocken aufsprang und das Fenster zumachte, in dem das kornblumenblaue Kleidchen baumelte. Am nächsten Morgen dachte Johanna, sie habe die ganze Geschichte geträumt, denn Martha war verschwunden. Und niemand konnte sie je wiederfinden, auch der alte Robert nicht.

Der Gedanke an Martha ließ Johanna zerfließen. Sie war ganz aufgeweicht und setzte sich rittlings auf das Bettende, um den Druck des harten Holzes zwischen den Beinen zu spüren. Aber kaum kam es zu ihrer Wonne, da erwachte das Hündchen und fing an, wie verrückt zu hecheln. »Sei ruhig, Scheißhündchen«, sagte Johanna verwirrt, »gleich kommt Gustave, dann wird alles besser.« Sie bespritzte das arme Tier mit Wasser und überlegte, ob ihm wohler wäre, wenn sie es rasieren würde.

»Einen Langhaardackel darf man nicht mit in heiße Länder nehmen«, dachte sie und hoffte, daß es am Meer in Punta Rossa kühler sein würde.

Am Meer. Johanna dachte an das endlose Meer. Sie bekam Zustände, wenn sie an das endlose Meer dachte. Sie sah sich bereits darin ertrinken und schnappte nach Luft. Gustave wollte mit ihr Wasserskifahren, und Johanna war angst und bange geworden, denn sie konnte nicht einmal richtig schwimmen. »Das ist alles Unsinn«, hatte Gustave am Telefon gesagt, genau wie die Mutter früher, wenn Johanna etwas nicht konnte: »Du bildest dir das nur ein, natürlich kannst du schwimmen, jeder Mensch kann schwimmen. Es ist ja widerlich, wie zimperlich du bist.«

Gustave konnte Johannas Angst und Unsicherheit nicht ausstehen. Schlechte Erziehung nannte er das, was Johanna jedesmal zutiefst schmerzte und beleidigte, obwohl sie ihre Erziehung ja selbst nicht so großartig fand.

Zimperlich! Johanna stöhnte und starrte weiter auf die Gipsrose. Wenn er nur endlich kommen würde, der liebe Gott. Aber er kommt noch lange nicht, und bevor er kommt, erscheint erst der Hoteldiener, wie ein Kamel beladen mit Gustaves seidenen Morgenmänteln, Bademänteln, Reithosen, Felldecken und dem wundervollen großen Koffer, an dem der Reißverschluß schon lange kaputt ist, und dem kleinen Snob-Aktenkoffer, den sonst kein Mensch hat und den das Top-Modell eigens für ihn hatte anfertigen lassen. Nach dem beladenen Diener kommt eine große Wolke, und nach der Wolke kommt endlich er, der liebe Gott... Vielleicht oder ganz bestimmt wird es so sein, dachte Johanna – wenn er überhaupt kommt. Als er damals die Treppe heraufkam, am ersten Tag, da war er noch gar nicht der liebe Gott.

Bei der Treppe fiel Johanna wieder das Kloster ein. Die

Treppe, auf der die kleinen Mädchen stehenbleiben und »Cœur sacré de Jésus« singen mußten, bevor sie in die Kapelle eintreten durften. Mit dem Rücken lehnten die kleinen Mädchen an der kalten feuchten Mauer, und sie sangen so fürchterlich hoch, daß sie mit ihrem Gesang das Herz Jesu zum Zerspringen brachten. Danach waren ihre Seelen rein für das Gebet in der Kapelle: *Oh Du Lamm Gottes erhöre erlöse erlöse erbarme erhöre.* Und nach dem Gebet gab es endlich Frühstück im Saal an den langen Tischen, auf denen die großen Kaffeetöpfe warteten. Hinter dem Fenster lockte der neue Tag so blau, aber vor dem Fenster stand streng Mère Marie Bruno mit der schmalen langen Nase und bewachte die kleinen Mädchen, damit sie nicht hinausliefen. Sie trugen schwarze Schürzen, und ihre Beinchen steckten in schwarzen Strümpfen, nur am Sonntag durften sie weiße Kleider tragen und weiße Strümpfe und den Strohhut, der immer so kratzte.

Ob Johanna nachts im Schlafsaal die Brüste der kleinen Mädchen gestreichelt, ob sie an ihren Fötzchen gespielt habe unter ihren Bettdecken, hatte Gustave gefragt. Nichts dergleichen hatte Johanna getan, und unter ihrer Bettdecke hatte sie immer nur allein gelegen. Johanna kam sich jetzt feige und dumm vor und bedauerte es, daß sie die kleinen Mädchen nicht geküßt hatte.

»Alles meine verfluchte Erziehung«, dachte Johanna, »die wunderbare Mutter hätte sich zu Tode geschämt, zu Tode, wenn die Tochter so etwas getan hätte.« Johanna hatte ja nichts gewußt von der Großmutter. Alma Elisabeth hatte es gewußt. Sie war einmal in das Zimmer der Großmutter geraten, als diese gerade onanierte, während die Krankenschwester im Sessel schlief. Wenn Johanna das alles früher gewußt hätte, hätte sie nicht die ganzen kleinen Mädchen verpaßt, bestimmt nicht Josette mit den Ringellocken. Josette hatte Johanna immer so zärtlich umarmt und vielleicht nur darauf gewartet, von ihr verführt zu werden, wenn Johanna das jetzt so bedachte. Auch Annemarie hätte sie nicht verpaßt. Johanna erinnerte sich, daß ihr jedesmal die Kehle trocken geworden war vor Aufregung, wenn Annemarie im Schulsaal an ihr vorbei zur Nonne ans Pult vorging und Johanna hörte, wie sich Annemaries dicke Schenkel aneinanderrieben.

»Was einem alles so einfällt«, dachte Johanna. »Ich glaube, es ist gefährlich, so zurückzudenken. Die alten Tanten denken immer so zurück, bevor sie ganz verrückt werden und überhaupt nicht mehr wissen, wo sie eigentlich sind.« Aber Johanna hatte Angst vor dem Wiedersehen mit Gustave, und es tat ihr wohl, in das Kloster zurückzukriechen, das am Fuße des großen Berges steht, der Pontius Pilatus heißt. Sie hätte jetzt gern in dem schmalen Zimmer unter dem Kruzifix gelegen und auf Mère Marie Jourdan gewartet. »Wenn doch Mère Marie Jourdan käme anstatt Gustave, wenn überhaupt jemand käme, großer Gott!«

Wie spät es wohl sein mochte. Johanna hörte keinen Laut von draußen, hörte nur die Hitze. Sicher waren alle Menschen tot, die Glocken stehengeblieben, die Häuser zerfallen, aber sie lag immer noch auf ihrem Hotelbett und wartete. »Wie lange kann man warten, ohne verrückt zu werden?« fragte sie sich, »einen Monat, ein Jahr? Was würde sie ein Jahr lang in diesem Hotelzimmer tun. Noch dazu mit dem Hund? Verdammter Hackenpisser«, sagte sie und biß in ihre Hand. »Wenn ich Mut hätte, würde ich läuten und das Zimmermädchen bitten, mich ans Bett zu fesseln, damit ich nie mehr aufspringen kann.«

Als er die Treppe heraufkam, damals vor sechs Jahren...

»Scheiße«, fluchte Johanna, »was war passiert, als er die Treppe heraufkam, damals vor sechs Jahren.«

Heulen und Zähneklappern.

Es war an einem Oktoberabend. Johanna hatte ein paar Freunde eingeladen, und einer von ihnen hatte gesagt, er bringe den Gustave Ziborrah mit. Johanna sah ihn zum erstenmal. »Gott sei Dank«, hatte sie gedacht, »in den brauche ich mich nicht zu verlieben, der ist gar nicht mein Typ.« Johanna fürchtete, sich zu verlieben, obwohl sie es immer wieder tat. Sie hatte Angst vor den fürchterlichen Folgen, mit denen sie die wenigen Momente des wundervollen Hochgefühls bezahlen mußte. Damals, als sie Gustave zum erstenmal sah, hatte sie gerade wieder ein Unglück hinter sich mit einem gottesfürchtigen Organisten, Vater von sechs Kindern, der sich nach einem kurzen Rausch mit Johanna voller Gewissensbisse wieder zum häuslichen Herd zurückgeschlichen hatte. Liebe und Anhänglichkeit stellten sich bei Johanna meistens erst mit dem Leiden ein, und das beste Mittel für sie, sich jeweils aus dem schmerzlichen Tief zu erheben, war, sich wieder neu zu verlieben. Aber nach dem Organisten hatte sie ein wenig die Nase voll von dem ewigen Teufelstanz und sagte erleichtert: »Gott sei Dank, in den brauche ich mich nicht zu verlieben«, als sie Gustave zum erstenmal sah. Johannas Typ, denen ihre anfällige Natur nicht standhielt, waren die Blonden und Blauäugigen mit lässig sportlicher Figur, vor allem, wenn sie noch dazu einen etwas verschwommenen, träumerischen Blick und einen vollen, sinnlichen Mund hatten. Gustave Ziborrah hatte nichts dergleichen. Zwar schob er seine Unterlippe stark nach vorn, damit sein Mund voll und verführerisch wirke, aber eigentlich war er schmal, sein Haar war schamhaarartig gekräuselt und dunkelbraun, seine Augen wohl blau, aber nicht träumerisch, sondern sie hatten den wachen, kalten Blick eines Katers auf Jagd. Überhaupt sah Ziborrahs, im Verhältnis zu seiner übrigen Größe kleiner Kopf dadurch, daß Stirn und Kinn fliehend, Backenknochen und Nase aber breit gezogen waren, aus wie der eines Katers, welcher Eindruck noch verstärkt wurde durch das völlige Fehlen des Halses. Ziborrahs große Gestalt war mitnichten lässig sportlich, sie war furchterregend aufrecht. Vom vielen Baucheinziehen, eben, um diese furchterregende Haltung zu fördern, war sein Brustkasten arg vorgewölbt, so, als habe er jahrelang nur eingeatmet und niemals die Luft abgelassen. Ziborrah war also kein landläufig schöner, dafür aber ein überwältigender Mann von großer Würde und Eleganz. Alles, was er am Leibe trug, war vornehm, maßgefertigt und von edelster Qualität. Man hätte ihn für einen englischen Lord, für ein Mitglied des Königshauses halten können, und auch wenn Johanna diese Eleganz und sein Aussehen zunächst nicht recht zu schätzen wußte, so war Ziborrah doch eine ganz außerordentlich imposante, ungewöhnliche Erscheinung, und man konnte seinen Ruf im ganzen Land, daß ihm die Frauen wie die reifen Früchte zufielen, nur zu gut verstehen. Auch war er ein Genie, was jeder wußte, aber Johanna kannte damals seine Bücher noch nicht, also sagte sie: »Gott sei Dank, in den brauche ich mich nicht zu verlieben«, was der größte Irrtum ihres Lebens war.

»Ach, wie ich leide«, seufzte Johanna auf ihrem Bett, »ich glaube, kein Mensch leidet so wie ich.«

Doch dann kam ihr der Gedanke, daß das vielleicht jeder von sich denke. Sie stellte sich vor, daß an allen Ecken der Welt Frauen saßen und sich ihren Liebeskummer erzählten, und alle redeten aneinander vorbei, und keine hörte der anderen richtig zu, denn jede dachte, ach, was die nur wieder so viel schwatzt, es ist ja doch alles ganz anders bei ihr und nicht so schlimm wie bei mir, denn sie kann unmöglich so lieben wie ich und deshalb auch nicht so leiden.

Nichts ist einmalig, kein Glück und kein Kummer, und auch ich bin nicht einmalig, sagte sich Johanna enttäuscht und voller Schrecken.

Johanna war schnell enttäuscht, ganz so wie es Kinder sind.

»Sie hat die Seele eines achtjährigen Kindes«, sagte die Mutter stolz, wenn sie einmal zufrieden mit Johanna war. Für die Mutter, die ihre drei Kinder aus Liebe gefressen und sie am Erwachsenwerden gehindert hatte, war es das größte Erfolgserlebnis, wenn Johanna wie ein Kind reagierte. Aber gerade diese Kinderseele war es ja, die Johanna in die größten Schwierigkeiten stieß.

Ziborrah dachte zunächst, er habe mit Johanna das große Los gezogen, aber er fand seinen Irrtum schnell heraus, was auch ihm Leid verursachte. Wenn man Johanna sah, bemerkte man nichts von ihrer inneren Verwirrung. Sie sah intelligenter und reifer aus, als sie war, und man hatte den Eindruck, als fände man in ihr einen verständigen Menschen. Damals waren fast alle Männer auf der Suche nach einer Mutter und hätten am liebsten noch gesäugt werden wollen. Kein Mann hatte damals

Lust, sich statt dessen mit einer verwirrten Kind-Frau abzugeben, Gustave Ziborrah schon gar nicht.

Johanna war also ein Blender. Sie wirkte im ganzen fast vollkommen, und es brauchte eine Weile, bis man bemerkte, daß im einzelnen nichts zusammenpaßte: Kopf nicht zu Figur, Wesen nicht zu Kopf, Verstand nicht zu Herz. Schon äußerlich verkörperte sie mehrere Stilarten. Ihr Becken war barock, ihr Oberkörper gotisch, ihr Kopf ägyptisch. Sie hatte das Profil und den langen, eleganten Hals der Nofretete, denn sie glich ihrem guten Vater, den man mit goldenem Kopfschmuck in seiner Jugend auch leicht für Ramses oder sonst einen Pharao hätte halten können. Mund und Nase und vor allem die Augenbrauen, die man ergriffen betrachtete wie Regenbögen in einer Landschaft, waren die der alten Ägypter. Alma Elisabeth hatte übrigens die gleichen Augenbrauen wie der Vater und Johanna, rasierte sie aber früh so gründlich aus, daß sie nie wieder wuchsen, und ersetzte sie Zeit ihres Lebens durch einen ungeschickten, stets schief gezogenen Strich.

In Johannas glücklichen Momenten sah man ihr Gesicht mit Bewunderung, aber glückliche Momente waren, besonders seit Gustave Ziborrah, selten bei ihr. Bei dem geringsten Anlaß war ihr Gesicht plötzlich nicht mehr schön, sondern es zerfiel, so daß der Königinnenkopf zu dem eines sorgenvollen Äffchens wurde. Die grünen Augen, die gerade noch geleuchtet hatten, versanken in ihren Höhlen und wurden zu matten, sumpfigen Tümpeln, oder sie wurden weit aufgerissen wie die von geschreckten Pferden, um dann stundenlang unbeweglich zu verharren.

Johanna starrte immer weiter auf die Gipsrose an der

Decke und dachte, daß sie ein glücklicher Mensch gewesen sei, als sie noch geglaubt hatte, sie sei einmalig. »Ein kurzer Traum. Bin schnell angeschossen worden mit einem großen Gewehr.« Sicher würde sie wieder alles falsch machen mit Gustave. Sicher würde sie wieder seinen Zorn erregen, sicher würde er wieder sagen: »Wir lieben nicht, was wir unterbuttern.« Und Feuer und Schwefel würden aus seinen großen Nasenlöchern auf sie herunterfallen, und allein bei dieser Vorstellung hätte sie am liebsten ihr ganzes Leben von sich gerissen.

»Vielleicht sollte ich gar nicht hier oben warten und mich kaputtmachen mit den Grübeleien. Vielleicht sollte ich weggehen, eine Wiese suchen für den Hund, dem so langweilig ist«, sagte sie und versuchte sich zu stärken. Aber sie konnte nicht hinaus, konnte es einfach nicht. Ihr wurde übel bei dem Gedanken, die Treppe hinunterzumüssen. »Auch ist die Welt längst geschmolzen von der Hitze«, tröstete sie sich, »der Hund würde sich nur die Pfoten verbrennen an dem glühenden Pflaster und vielleicht sterben in dieser fremden Stadt.«

Immer hatte sie Angst, der Hund würde sterben.

Johanna wußte nicht weiter mit sich und heulte etwas vor Wut. »Hackenpisser, Hackenpisser. Ein Misthaufen. Ich dampfe wie heißer Mist. Das hätte ich nie gedacht, daß es so weit mit mir kommen würde. Hier liege ich und denke lauter verstaubtes Zeug wie Molly Bloom oder die alten Tanten. Mein ganzer Erinnerungsberg ist ein einziger Misthaufen, ein Scheißhaufen. Was habe ich bloß angestellt. Wenn ich eine Zukunft hätte, würde ich mich nicht so viel erinnern. Aber ich weiß keine Zukunft. Damals habe ich an eine Zukunft geglaubt, mit dem Brautkranz auf dem Kopf. Aber damals war ich noch stark...«

Sie sprang vom Bett hoch, denn sie dachte an den Brief, den Gustave ihr in der Nacht vor der Hochzeit geschrieben hatte.

»Das Biest in der Höhle ist keine Krake.« Ach Gott, ach Gott, so ein schöner Brief.

Sie fiel auf die Knie und wühlte in ihrem Koffer, der auf dem Boden stand. Ganz zu unterst hatte sie Gustaves Briefe versteckt, in ein Tuch gewickelt, damit er sie nicht bemerkte. Sie schleppte seine Briefe immer mit sich herum, weil sie fürchtete, zu Hause nähme sie ihr die Mutter weg. Einmal, als sie auch verreist war, hatte die Mutter ihr geschrieben: »Habe heute zusammen mit Tante Grete einen ganzen Wäschekorb voll von Liebesbriefen an dich verbrannt. Die interessieren ja doch keinen Menschen mehr und nehmen nur Platz weg in unseren Schränken.«

»Das Biest in der Höhle ist keine Krake. Es ist ein armseliger kleiner Oberlehrer, der erziehen will, weil er verletzlich ist. Bitte liebe ihn weg, denn ich mag ihn nicht«, hatte Gustave geschrieben. So ein schöner Brief. Aber in Wahrheit war das Biest in der Höhle gar kein Oberlehrer gewesen, sondern der liebe Gott, den man schlecht weglieben konnte, keine Krake allerdings, sondern ein gefährliches Krokodil, alles was recht ist.

Die Briefe im Koffer starrten sie an wie eine Kindsleiche. Ihr Magen drehte sich um, und sie legte sich schnell wieder zurück auf das Bett.

Es konnte noch Stunden dauern, bis Gustave ankam. »Sicher ist er wieder viel zu spät weggefahren.«

Wenn es aber noch Stunden dauerte, würde sie Hunger bekommen. Sie müßte also entweder dem Zimmerkellner läuten oder hinausgehen. Beides erschien ihr unmöglich.

Johanna aß immer sehr viel und, wenn sie nicht gerade allzu großen Kummer hatte, mit Leidenschaft. Außerdem hatte sie eine alttestamentarische Angst vorm Verhungern. Ohne nachts ein Brot neben sich liegen zu haben, konnte sie überhaupt nicht einschlafen. Trotz ihres großen Appetits blieb Johannas Oberkörper aber immer schmal, ihre Taille zerbrechlich, jedes Stück Kuchen schien direkt in ihre untere Hälfte zu fallen, und wenn sie sich auszog, war jeder verblüfft über die Fülle ihres Hinterteils, welches sie geschickt durch weite Röcke zu tarnen wußte. Johannas Hintern war von wunderbarer, weißer Weiche, eine schwere Birne und ein weites Feld für diejenigen, die Johanna liebten. Auch Gustave liebte ganz offensichtlich und trotz aller Mißverständnisse, die sonst zwischen ihnen liegen mochten, immer weiter Johannas Hintern. Johanna aber machte dieser Hintern, abgesehen vom Bett, sehr zu schaffen, weil er nicht Mode war. Damals fingen die Geschlechter gerade an, sich anzugleichen. Die Mädchen aßen nur noch Salatblätter und Wiener Würstchen, um ihre Hüften so schmal wie die der Knaben zu erhalten. Alle trugen hautenge Hosen, nur Johanna lief in den weiten Röcken herum, weil sie in keine Hose hineinpaßte, ohne Atemnot zu bekommen. Am Badestrand saß sie meistens vermummt und schlechtgelaunt und sah voller Neid auf jede schlanke Hüfte. Sie hätte sich der Sonne, die sie liebte, gern fast ganz ausgesetzt, aber auch von den hübschen Bikinihöschen wollte ihr kein einziges passen.

»Sicher ist er wieder viel zu spät weggefahren«, dachte

sie. Sie erinnerte sich an die Schneesturmnacht, in der sie zu Hause bei der Mutter auf Gustave gewartet hatte. Zitternd hatten sie und Alma Elisabeth im Zimmer gekniet und für ihn gebetet, weil sie dachten, er sei verunglückt. Er war um vier Uhr früh immer noch nicht angekommen, und sie glaubten, Johanna sei den Bräutigam los. Dabei war Gustave bloß acht Stunden später weggefahren, als er Johanna angegeben hatte.

»Wenn er damals in der Schneesturmnacht gestorben wäre«, sagte Alma Elisabeth später, als das ganze Unglück losging, »hätten wir gedacht, er sei ein guter Mensch gewesen.«

»Als ob ihm das was genutzt hätte«, dachte Johanna. Außerdem war es weder der Mutter noch Alma Elisabeth gegeben, so einen Menschen wie Gustave überhaupt zu verstehen. Sie hatten immer skeptisch auf seine ganze Pracht geblickt, und alles, was Johannas Herz erfreute, seit sie ihn liebte, war für die beiden nichts anderes als Schwindel. Der Mutter waren Männer sowieso ekelhaft, wie man sich erinnern mag, und solche, die ihren Töchtern nahekamen, waren darüber hinaus gefährliche Verbrecher, die gleiche Sorte wie Kindesentführer. Zu Johannas Hochzeit war sie nicht erschienen, sondern zornig im Bett geblieben. »Wozu soll ich da hingehen«, hatte sie gesagt, »der Kerl stürzt die dumme Gans doch nur in ihr Unglück.«

»Mit ihrem Geunke hat sie alles kaputtgemacht«, dachte Johanna, deren Weltbild nicht gerade wissenschaftlich fundiert, sondern eher magisch emotional war. Johanna glaubte an die Macht des Wortes. »Von Anfang an hat sie gehetzt. Gegen Depardieu hetzt sie ja auch immer, aber an dem beißt sie sich die Zähne aus, der ist schlimmer als sie.«

»Wie kann man nur, wie kann man nur, pfui, pfui«, äffte sie die Mutter nach. »Gib ihm doch einen Tritt, wie kann man nur so gar keinen Stolz haben, kriechst dem Schurken in den Hintern für alles, was er dir antut, ins Grab schäme ich mich für dich.«

»Großer Gott, wenn die Mutter wüßte, daß ich jetzt wieder hier auf Gustave warte, würde sie bestimmt mit der Polizei kommen.« Johanna wischte sich den Schweiß mit dem Bettuch ab und spritzte sich Dior-Parfüm unter die Arme. »Ob er wirklich nicht wieder nach Paris zurückgeht, weil ihn sein Top-Modell verlassen hat?«, dachte sie.

»Die Proportionen stimmen nicht«, beklagte sich Gustave bei Johanna. »Ich biete dieser Frau mein Leben an, und sie wirft mir vor, daß ich morgens um elf noch im Schlafrock herumsitze.«

»Er bietet ihr sein Leben an, das sagt er mir, der Sadist. Ob ich vielleicht Hoffnung haben soll?« Johanna machte einen angestrengten Versuch, irgendeinem Faden zu folgen, um herauszufinden, wieviel sie Gustave wohl bedeute. Aber sie kam wieder nicht weiter.

»Gustave wird schon recht haben, wenn er sagt, daß ich überhaupt nicht nachdenken kann. ›Der Krautsalat deines Hirns.‹« Bei Salat sprach er das S immer so scharf aus, daß es zischte wie Wasser auf einer heißen Ofenplatte. Johanna hatte eine Höllenangst vor dem S.

»Krautsalat. Von klein an mit falschen Informationen gefüttert, hier stand es in der Zeitung, die der Schlafwagenschaffner ihr gegeben hatte: Einflüsse, Kindheit, Umwelt, Programmierung, Hirn-Computer füttern. ›Wenn er mit falschen Informationen gefüttert wird, muß der Mensch in bestimmten Konfliktsituationen scheitern, da er mit der Welt nicht fertig wird.‹«

Mit dem Hackenpisser war Johannas Weg schon vorgezeichnet, ihre Gleichberechtigung ins Wanken geraten, obwohl die Information eigentlich gar nicht so falsch war. Vielleicht war wirklich die Mutter mit ihrem Pfui-Geschrei schuld, Johanna wußte es nicht.

Krautsalat. Angst vor dem S. Angst vor dem Tod des Hundes. Angst vor der Polizei. Angst vor dem lieben Gott. Angst vor der Angst.

Penthesilea, meine Braut, ist das das Rosenfest, das du versprachst? Ein feines Rosenfest.

»Du begehst einen Mord, wenn du dich nicht scheiden läßt«, hatte Gustave gesagt.

Er saß in der Badewanne, sie auf einem Schemel vor der Wanne. Einen Mord. Johanna verstand das nicht. Einen Mord an ihm? Natürlich an ihm. An sie und was aus ihr werden würde, dachte er bestimmt nicht.

Ein wunderbares Rosenfest.

Krautsalat. Produkt der Erziehung. Da lag das Produkt auf dem dampfenden Misthaufen. »Ich bin ruhig, ganz ruhig...«

»›Man kann andere nicht beherrschen, wenn man sich selbst nicht beherrscht‹, sagt die Mutter immer, aber die hat gut reden.« Johanna fächerte sich wieder mit der Abendzeitung etwas Luft zu. Sie beherrschte sich nicht. Ein elendes Gefängnis, diese Wirrnis, diese Liebe. – Oh Herr, erlöse. Wenn nicht irgendein Scheißgefühl einen immer wieder in den Dreck hinunterziehen würde, könnte man bestimmt fliegen und glücklich sein.«

Sei gefühllos. Ein leichtbeweglich Herz ist ein elend Ding auf der wankenden Erde. Johanna hatte sich den Spruch in ihrer Jugend, als sie anfing zu lieben, wie in einer bösen Vorahnung über ihr Bett gehängt und dachte jetzt, daß sie niemals gefühllos gewesen war. Die Macht des Wortes.

Johanna bekam Wut auf die Weiber, bei denen immer alles klappte – Ehefrauen, Mütter, Geliebte, für die sich die Männer scheiden ließen. Und sie spürte plötzlich große Sehnsucht nach dem Psychiater und hätte sich gern an seinen Hals gehängt und sich etwas von ihm schaukeln lassen. *Till human voices wake us and we drown...*

Der hätte nur nicht so viel telefonieren dürfen, der Psychiater. Johanna fand, er hätte das Telefon abstellen müssen während der Behandlung. Sie dachte an seine albernen Telefongespräche, während sie litt und er sie doch eigentlich hätte schaukeln sollen. Das Gespräch wegen des 14. Juli kam ihr in den Sinn. Damals, auf der Psychiater-Couch, war es genauso heiß gewesen wie hier auf dem Hotelbett.

»Ja, wissen Sie«, hatte der Arzt zu dem Anrufer gesagt, »der Machianoni ist ja nun gestorben, und der Gruber macht auch nicht mehr mit. Ach, der Konsul hat Sie zum 14. Juli eingeladen? Ja, ich gehe jedes Jahr hin, es sind so an die dreihundert Leutchen da, und es fällt nicht weiter auf, wenn Sie nicht hingehen, höchstens bei mir fällt es auf, weil man mich kennt. Aber gehen Sie ruhig hin, ich könnte mir denken, daß es Ihrer Frau Gemahlin Spaß machen würde, wenn es nicht regnet und der Empfang im Garten stattfindet... Was man anzieht? Dunklen Anzug, würde ich sagen – was? Nein, Sie schütteln dem Konsul die Hand und wechseln ein paar Worte. Was? Aber ich bitte Sie, Sie können ruhig deutsch mit ihm reden, selbstverständlich, wissen Sie, wir sind schließlich auf unserm Boden.«

»Frau Gemahlin – deutscher Boden – Scheißkerl! Ich

werde vor Kummer längst tot sein, bis der Kerl am andern Ende weiß, was er für eine Unterhose anziehen soll«, hatte Johanna gedacht. Sie konnte die Vorstellung nicht ertragen, daß der Psychiater ein Mensch war wie alle anderen und dummes Zeug redete.

»Ich bin ruhig, ganz ruhig. Mein linkes Bein, mein rechter Arm sind schwer.«

Johanna hatte Schwierigkeiten, sich ihr linkes Bein oder ihren rechten Arm vorzustellen. Sie war durch das Warten so gelähmt, daß sie nicht wußte, ob sie überhaupt noch ein linkes Bein oder einen rechten Arm hatte.

»Glauben Sie ja nicht, daß ich Ihnen helfen kann, wenn Ihre Ehe schiefgeht«, hatte der Psychiater gesagt. *Wie man sich bettet, so liegt man.* Dummer Spruch. Die Mutter sagte ihn auch immer. Sie schien vergessen zu haben, daß Tante Mathilde sich kaum aus eigenem Willen in der Gaskammer gebettet hatte. Vergessen. Johanna wollte nicht vergessen. Johanna wollte sich erinnern.

»Hackenpisser.«

»Man muß die ersten Bilder beachten, welche die Außenwelt auf den dunklen Spiegel des Gemüts wirft.«

Johanna sah den großen roten Wurm aus Mariechens Hintern kriechen. »Schreib das doch auf«, sagte sie und gab sich einen fürchterlichen Ruck, durch den sie vom Bett bis an den Schreibtisch gelangte. Auf dem grünen Löschblatt lagen kleine elegante Briefbögen. Hotel Cavour, in Schrägschrift. Johanna nahm einen Federhalter, kaute zunächst eine Weile darauf herum, als ob er ihr Gedächtnis sei, und starrte dabei angestrengt vor sich hin. Dann schrieb sie:

1. *Das Früherlebnis.* Der Blütenbaum und Mariechens

Wurm. Das Auftreten der Tanten und der Kinderfrau Frieda Wolf. Mariechen, die Mutter und der Kauf des Matrosenmäntelchens. Meine Mutter hatte zu der Zeit, als ich geboren wurde, gerade ihre sozialistischen Ideen. Wenn ich ein Matrosenmäntelchen bekam, wurde für Mariechen auch ein Matrosenmäntelchen gekauft. Allerdings flüsterte die Mutter mir zu, daß das meine von besserer Qualität sei.

Das große Treppenhaus. Die dicke Weihnachtspuppe und der Schlitten. Noch am Weihnachtsabend setzte ich die dicke Puppe auf den Schlitten und stieß sie die Treppe hinunter.

Der Schmerz über die zerbrochene Puppe. Der Garten. Erster Anblick der mildverrückten Großmutter Anna mit dem Bonbonglas: Die Großmutter streute die Bonbons den Vögeln hin. Mariechen und ich liefen hinter ihr her und sammelten die Bonbons wieder auf. Die Großmutter freute sich, daß die Vögel ihre Bonbons so gern fraßen.

Schreufa und das schöne Land. Das Luftbad der Mutter. Auf einer Wiese wurden an Leinen zwischen vier Eckpfosten große Bettücher aufgehängt, hinter denen die Mutter ganz nackt lag, was aufregend und geheimnisvoll war. Der Vater, die Vettern und ich mußten vor dem Zelt sitzenbleiben.

Die Großmutter jagt Raben im Kornfeld. Die Hühnerfarm. Die Heuwagen und die Kühe auf der Weide. Ich falle in den Fluß, die Nuhne. Friedel Wolf fischt mich wieder heraus. Die Angst.

2. *Die Schule.* Zur Strafe muß ich Arthur Goldhammers schmutzigen Hals waschen und werde ausgelacht. Der Lehrer Schütte. Ich stehle zu Hause einen Hasen und

andere Vorräte aus dem Eisschrank und lege sie Lehrer Schütte auf das Pult.
Die Mauer in unserm Garten. Die Königskinder von gegenüber und das Träumen.
3. *Mutters geblähte Nasenflügel.* Vor lauter Mutter bemerkt man den Vater erst langsam.
Die großen Schwestern. Die Feste im Garten, vom Balkon aus im Nachthemd beobachtet.
4. *Erlebnisse in Schreufa.* Anni Kippel im Kuhstall. »Komm schnell«, rief Vetter Oscar. Und durch ein Loch in der Kuhstalltür sah ich, wie Anni Kippel, die auf dem mit Stroh bedeckten Fußboden lag, eine Flasche zwischen ihren weißen, weitausgebreiteten Schenkeln eifrig auf und ab schob. Sie warf dabei den Kopf wie wild von einer Seite zur anderen und stieß seltsam erregende Schreie aus.
Ich spiele mit der Dorfjugend Theater und muß auf Befehl der Mutter den Leuten ihr Eintrittsgeld wieder zurückgeben.
Die Mutter erhebt ein für allemal das Pfui zum Denkmal. Der Ekel vor Männern. Das geheime Leben unter dem Federbett. Zigeuner. Der düstere Wald. Der Bär. Niemand will den armen Bären in der kalten Nacht in den Stall hinein lassen. Ich schreibe *Das Dorf ohne Herz,* eine kurze, aber sehr traurige Geschichte. Die Mutter liest sie am Abend vor, und ich werde wieder ausgelacht.
Der Blitz schlägt ein in Schreufa. Eines Morgens hat die Mutter ein blaues Auge und sieht jämmerlich aus.
Das Geheimnis um den Maler F. S.
Ein Stein, den ich werfe, verfehlt sein Ziel, einen

Radfahrer, und fällt dem alten Schönweiß auf den Kopf. Schlimme Folgen.
Friedel Wolf wird Schützenkönigin.

5. *Eine grauenhafte Veränderung.* Man ist plötzlich aussätzig. »Nur Mut«, sagte der alte Bolle. Die Wendung des Lebens. Es wird still im Haus. Die Freunde kommen nicht mehr. Bloß Heinrich Paul, der Chauffeur, bleibt treu und wird als Judenknecht bestraft. Die Gefahr für die Mutter. Das entsetzliche Leid.
Halbarier dürfen keine Schule mehr besuchen. Man sieht zum letztenmal den kahlen schwarzen Baum mit den vielen Staren vor dem hochofenroten Himmel in der Stadt und zieht mit dem Vater in den Hessenwald. Sehnsucht nach der Mutter. Krieg.
6. *Die Klosterschule in der Schweiz.* Der Geruch des Klosters drückt auf die Seele. Das Heimweh nach der Mutter. Ma mère, comprenez ma situation. Der Duft von Weihrauch, gemischt mit Milchkaffee und trockenen Sonntagsbrötchen. Cœur sacré de Jésus, j'ai confiance en vous. Mère Marie Bruno wird von Annemarie geliebt und spielt Ball im Garten vor der Grotte der traurigen Jungfrau Maria. Annemaries Schenkel machen beim Gehen ein Geräusch, das Lust auslöst. Im Schlafsaal gehen unter weißen Himmelbetten viele kleine Mädchen schlafen. Sie geben sich weiche Küsse nach dem Gebet. Sie sind traurig, weil der Schmetterling weint. Die verrückte Mère Marie Solange zieht auf dem Klostergang ihre rutschende lila Flanellunterhose über ihrem gelben Pergamentpapierarsch hoch. Das Heimweh hört nicht auf. Sehnsuchtsvolle Blicke aus dem Klosterfenster. Das Weinen wirkt ansteckend, und man bekommt ein Einzelzimmer.

Mère Marie Jourdans überirdische Schönheit weckt ganz große Liebe. Man vereint ihr Bild mit dem Bild von Anni Kippel im Kuhstall. Erste Verwirrung über die Vielfalt der Gefühle und Möglichkeiten. Notdürftig befestigt flattert das Hirn im Wind wie ein Hemd auf der Wäscheleine. Die Küsse von Mère Marie Jourdan, das Rauschen ihres langen Gewandes und das Klappern des Rosenkranzes. Einsame Leidenschaft unter dem Kruzifix.

Die Begegnung mit Buddha, dem Sohn des Kinderarztes.

Tante Grete schreibt Briefe aus Afrika. Man weiß nichts von der Mutter. Der Vater ist krank vor Kummer.

Ein Freund der großen Schwester aus Frankreich kommt zu Besuch.

Dreiste Griffe unter den Rock im Taxi. Ekel. Trotzdem ergeht es mir so wie unter dem Kruzifix.

Der treue Herr Paul stirbt bei einem Bombenangriff.

Das Elternhaus brennt. Der Untergang beginnt.

»Scheiße«, sagte Johanna, »das ist zu schwer.«

Sie faltete die Seiten zusammen und stopfte sie unter Gustaves Briefe in den Koffer. In einem Anfall von Ohnmacht und Hoffnungslosigkeit warf sie sich auf den Boden über das Hündchen und erstickte es fast. Das treue Tier war froh über die Abwechslung und leckte Johanna dankbar. »Ich kann kein Buch schreiben«, jammerte sie und mußte an Angela Maggi denken. »Da drinnen«, hatte Angela einmal gesagt, und sie hatte sich so fest auf die Brust geschlagen, daß die Zierblumen von ihrem Hut zu fallen drohten, »ich habe alles da drinnen.

Wenn ich es nur herausbekommen würde, dann wäre es ein großes Buch!«

Reis mit Maggi zur Magenberuhigung. Jetzt täte etwas Reis mit Maggi gut, dachte Johanna. Sie hatte die Angewohnheit, auf alle Nahrung, außer vielleicht auf Marmelade, Maggi's Suppenwürze zu tun. Sie überlegte, ob diese Liebe zu Maggi nur eine Kindheitssehnsucht war oder ob sie Maggi wirklich so gern mochte. Da sie nun keinen Reis mit Maggi hatte, trank sie ein Glas Wasser, was ihren Magen aber nicht beruhigte.

Die Magengrube, die verdammte Magengrube. Johanna hätte sich ihre Magengrube am liebsten herausoperieren lassen, und zwar sofort, noch bevor Gustave kam.

Eigentlich könnte sie sich doch auf Gustave freuen. Positiv denken. Tief atmen. Aber das Warten und die entsetzliche Angst. Johanna konnte das Warten nicht mehr aushalten. Sie lief im Zimmer auf und ab. Riß die Plüschvorhänge auf. Gefangen. »Bloß raus hier«, sagte sie und streckte ein Bein aus dem Fenster.

Draußen färbte sich der Himmel lilasilbrig über den Dächern. Johanna hörte Stimmen und Autohupen. Einige Menschen schienen überlebt zu haben. Die größte Hitze, die Höllenglut, war wohl vorbei. Aber die Luft war immer noch unbeweglich, unbeweglich wie die Zeit des Wartens.

»Warten muß eine eigene Dimension der Zeit sein«, dachte Johanna, »eins ihrer großen Geheimnisse. Daß drei Jahre Leben so schnell vergehen können und drei Stunden Warten nie... Wenn ich nur etwas schlafen könnte.«

Gustave konnte immer und überall schlafen. Schnarchte wie der Hund. Wieviele Nächte hatte sie wach neben ihm gelegen, er schnarchend, sie leidend. Dieser große Sack neben ihr – wo, auf welchem Dach hielt seine schöne Seele Wacht, während der Sack schnarchte, auf welchem Baum hockte sein Genie. Sie sehnte sich nach ihm, wenn sie wach neben ihm lag, konnte ihn nicht erreichen in seinem Schlaf, war so allein. Oft hatte sie die Einsamkeit neben ihm nicht mehr ertragen können und ihn wach gerüttelt. Gustave hatte das nie verstanden und war immer besonders böse geworden. »Kannst du einen Menschen denn niemals in Frieden lassen, mußt du ewig an ihm rütteln wie ein ungezogenes Kind?«

Johanna erinnerte sich, daß sie sich als Kind auf den Bauch der Mutter gesetzt hatte, frühmorgens, wenn die Mutter noch schlief, und daß sie ihr die Augenlider aufgerissen hatte, um nachzusehen, was dahinter war. Johanna konnte nichts Verschlossenes ertragen, nicht einmal eine geschlossene Tür. Sie wollte immer überall hineinkriechen. Gustave aber brauchte seine Ruhe, das war ja schließlich zu verstehen, und er schüttelte sie ab wie eine lästige Fliege. Nur ärgerte es sie, daß sie immer für ihn da sein sollte, zu jeder Tages- und Nachtzeit. Er war der Mächtige, sie die Untergebutterte.

«Johanna ist beleidigt, wenn man nicht alle halbe Stunde mit ihr vögelt«, hatte Gustave zu jemandem gesagt. Aber das war nicht wahr, es war nicht das Vögeln, es war nur die Verzweiflung, nicht eins sein zu können.

»Das war eine bösartige Idee, die Eva aus dem Adam herauszuschneiden und aus eins zwei zu machen. Nun ist die Sehnsucht da, und man sucht nichts weiter, als möglichst wieder eins zu werden miteinander. Das Elend des Menschen hat mit der Teilung angefangen«, dachte Johanna auf ihrem Hotelbett. Gustave jedoch war weit davon entfernt, die Dinge so zu sehen wie Johanna. Er nutzte die Teilung zu seiner Freude und, so glaubte Johanna, genügte sich darüber hinaus allein. Aber Gustave war ja auch der liebe Gott.

Als er damals die Treppe heraufkam, die zu ihrer Wohnung führte, da war er noch nicht der liebe Gott. Johanna überlegte, wieso er der liebe Gott geworden war. Vielleicht, weil er sie so gestraft hatte. Oder vielleicht hing es auch mit dem verdammten Sex zusammen.

Wie der liebe Gott war er ihr erschienen, als er in dem langen dunkelblauen Bademantel, der ihm bis zu den Knöcheln reichte, quer über den Wittelsbacherplatz ging, um ihnen das erste Mädchen ins Bett zu holen. Der Himmel war aus violettem Samt gewesen, damals, und der Mond hatte hell über dem Reiterdenkmal geleuchtet. Johanna hatte stocksteif und halb ohnmächtig vor Aufregung im Auto gesessen und gedacht: »Das klappt bestimmt nicht. Das Mädchen wird sich fürchten oder ihm eine Ohrfeige geben, wenn sie ihn so sieht.« Denn der Bademantel ging nicht ganz zu, er bedeckte Gustave eigentlich nur hinten, vorn war Gustave weiß und nackt wie der Mond, und sein Glied baumelte lebhaft im Wind. Jedoch das Mädchen folgte ihm artig, wie ein Lamm dem Herrn folgt. Wahrscheinlich hatte es sofort so wie Johanna erkannt, daß er der liebe Gott war.

Dieses Mädchen hieß Annamirl. Für Johanna, die außer der Sache mit Martha bisher nur von den kleinen Mädchen geträumt hatte, war Annamirl eine ganz neue Erfahrung gewesen. Sie lutschte die ganze Zeit, während Gustave sie mit Freuden bearbeitete, an einem Zipfel des Bettuchs, was Johanna besonders aufregend fand. Und bevor Annamirl wieder in die Nacht hinausging, lieh sie sich noch eins von Johannas schönen Armbändern aus mit dem Versprechen wiederzukommen. Drei Nächte lag Johanna wach mit hoch im Hals klopfendem Herzen neben dem fest schlafenden Gustave und lauschte auf Annamirls Schritte. Dann gab sie traurig und enttäuscht ihr Armband und Annamirl auf, bis sie unter der Fußmatte das Armband und ein winziges Zettelchen fand, auf dem gekritzelt stand: »Dein Armband hat mir Glück gebracht, denn Liebe hat mich angeschaut, nun komme ich nicht mehr. Annamirl.«

Das zweite Mädchen war Doris.

Bei Doris war es schon nicht mehr nur Glückseligkeit, die Johanna empfand, bei Doris fing sie schon an zu leiden. Johanna erinnerte sich genau, daß sie damals – sogar das Datum wußte sie noch – etwas in ihr Tagebuch geschrieben hatte. Sie hatte geschrieben: »Am 30. März habe ich sein Gesicht über Doris gesehen. Es verzerrte sich, während er kam, genauso über ihr wie über mir, und ich hätte deswegen wahnsinnig werden mögen, denn ich dachte bisher, so würde es nur bei mir sein, weil er mich so liebt. Warum muß ich wissen, daß nichts, aber auch nichts, einmalig ist.«

Nach Doris waren es oft auch Freundinnen gewesen, die mit ihnen schliefen. Aber keine dieser Freundinnen war so diskret wie die Hürchen, dachte Johanna, keine war allein in die Dunkelheit hinausgegangen, sie waren alle bis zum Morgen geblieben, und manche hatten sogar ein Ei zum Frühstück verlangt, was Johanna, übernächtigt und meistens bei aufgehender Sonne schon von schrecklicher Eifersucht gequält, überhaupt nicht komisch fand.

»Ich bin eine arme Irre, ich kann die Dinge nicht auseinanderhalten«, dachte sie. »Warum leide ich nur so an der Eifersucht. Entweder man ist eine brave Ehefrau, oder man ist pervers, ein Schwein, würde Ruth sagen. Ich bin nun einmal ein Schwein. Wenn ich es doch dabei belassen und Frieden geben könnte. Aber nein, ich muß Gefühle hineinbringen, Liebe, muß mich zu Tode leiden, eifersüchtig sein, den anderen so lieben, daß ich ganz in ihm drin sein, eins sein möchte. So ein Unsinn. Den Liebestod sterben nach jedem Beischlaf, nur nicht erwachen, denn mit dem Erwachen kommt die Qual, steigt die Eifersucht auf wie der Morgennebel, wie ein Gewitter, steht da, greift zu wie der Würgeengel. Ich kann es nicht aushalten, zurück zu müssen in diese elende Zwangsjacke des täglichen Ichs, in den deprimierten Arsch, nachdem mich ein paar Minuten hinausgeschleudert haben aus der Zeit. Was ist Eifersucht. Was ist denn eigentlich Liebe. Dieser Schmerz in dem verdammten Saugnapf da unten, der überwältigende Druck zwischen den Schenkeln, so daß man oft nicht mehr gerade laufen kann. Oder der Schmerz in der Brust, der einen zerreißt. Oder die Freude in der Brust, die einen genauso zerreißt wie der Schmerz. »Die Aufregung, die roten Ohren, die glühenden Fieberbacken – ist das die Liebe?« fragte sich Johanna zornig. »La paix, l'amour. Von wegen. Nicht für solche wie mich. Arme Sau. Abhängig wie ein Süchtiger. Verwirrt. Krautsalat. Nicht nur die Magengrube, auch das verwirrte Hirn müßte ich mir herausnehmen lassen.«

Sie streichelte das Hündchen. Liebe, wenn sie nur Zärtlichkeit war, verstand Johanna. Die Liebe zum Hündchen verstand sie. Sie schien ihr so einfach, wie ihr der gefährliche Zustand, diese andere Liebe, unerklärlich schien. »Ich komme aus dem Sumpf nicht mehr heraus«, dachte sie und überlegte, wie sie hereingekommen war. »Ich glaube, es begann, als ich unsicher wurde. Da rutschte ich plötzlich und rutschte immer weiter und konnte mich nicht halten, bis ich in die große Grube fiel. Und als ich in der großen Grube lag und so jämmerlich schrie, fing Gustave an, grausam zu werden.« Aber das war lange, lange nach der Zeit mit Annamirl oder Doris. Es war zu der Zeit, als Gustave anfing, ohne Johanna mit anderen Frauen zu schlafen. »Die schlimme Eifersucht, die Eifersucht, mit der ich alles zerstört habe, fing mit den Heimlichkeiten an«, dachte sie, »damals, nach dem Wochenende, als ich den rosa Morgenrock entdeckte.«

Gustave hatte gesagt, er müsse ein Wochenende ganz allein im Haus verbringen, um ungestört schreiben zu können, und er hatte die arglose Johanna, die immer so viel Ehrfurcht vor seiner Arbeit hatte, zu Freunden geschickt. Ach, der Schmerz und die böse Ahnung, als Johanna am Montag den abgenagten Hasen in der Küche und das zerwühlte Bett im Schlafzimmer sah. Und dann hatte sie dieses Gespenst gefunden, das ihr Leben verändern sollte, den rosaroten Morgenrock mit den großen weißen Punkten. Es sei eines seiner Hemden, behauptete Gustave streng und versuchte Johanna zu beruhigen. Aber Johanna war nicht zu beruhigen. Sie kannte alle seine Hemden, und keins war bodenlang und rosarot mit großen weißen Punkten.

»Ja«, dachte sie, »damals bin ich unsicher geworden und todkrank vor Eifersucht.« Und sie krümmte sich auf ihrem Hotelbett bei der Erinnerung. In diesem Augenblick spitzte der Hund die Ohren und fing an, vor Freude zu jaulen. Er hatte seinen Herrn gehört. Johanna blieb das Herz stehen. Ihr war, als ob der steinerne Gast die Treppe heraufkäme oder das Bismarckdenkmal.

»Ich setze dich am Bahnhof ab«, sagte Gustave. Aber der einzige Zug fuhr nachts um zwölf, und es war ungefähr erst vier, als sie in Verona ankamen. »Soll ich acht Stunden auf meinem Koffer sitzen? Ich werde dort sterben«, jammerte Johanna, »such mir wenigstens ein Zimmer, in dem ich warten kann.« Gustave kurvte zornig um ein paar Ecken. Er war am Ende seiner Geduld, denn er und Johanna hatten sich auf der ganzen Fahrt von Punta Rossa bis Verona gezankt. Er hielt vor einem Schmutzloch von Hotel, das nur noch durch ein Wunder aufrecht stand. »Hier«, sagte er, »ich habe keine Zeit mehr herumzufahren, das wird genügen für die paar Stunden.« Johanna nahm das Hündchen, das nicht aus dem Auto wollte, auf den Arm, Gustave trug ihren Koffer in das Schmutzloch, aber nur bis zur Treppe. »Adieu«, sagte er kalt. Johanna machte ein Gesicht, als ob sie gehängt werden sollte. Gustave fingerte in der Tasche seines Jacketts herum und fischte einen Lireschein hervor. »Damit du etwas Geld hast.«

»Ich will dein Geld nicht«, schluchzte Johanna.

»Und ich bin das verdammte Geheule leid«, sagte Gustave Ziborrah und ging weg.

Johanna hörte, wie er wütend die Autotür zuschlug, und zuckte zusammen, weil er viel zuviel Gas gab beim Abfahren.

Irgendein alter, verschmutzter, bekleckerter Mann gab ihr den Zimmerschlüssel. Sie nahm diesen Mann kaum wahr, sah nur mit einem Blick, daß er noch schwächer war als sie und ihr den Koffer nicht herauftragen konnte.

»Camera undici«, sagte der Mann.

In Zimmer elf wäre Johanna in ihrem Schmerz gern sofort zusammengebrochen, aber der Ekel vor der finsteren Bude war fast so groß wie ihr Kummer, und so untersuchte sie zunächst das Bett nach Ungeziefer. Dann ging sie ins Bad und putzte wie wild die Klobrille und den Waschtisch mit nassem Papier und Seife. »Immerhin paßt dieses Elendsloch besser zu meiner ganzen Scheiße als ein Luxushotel«, sagte sie und rollte sich zusammen mit dem Hündchen auf das Bett. Sie war wie betäubt, konnte nicht einmal mehr weinen und blieb ein oder zwei Stunden – sie wußte nicht wie lange – regungslos liegen. Dann ging sie zu ihrem Koffer und holte ein großes Schreibheft heraus.

In dieses Heft hatte Johanna in Punta Rossa manchmal ihr ganzes Unglück geschrieben. Es war für sie ein Zufluchtsort, ein Schutz, ein Dach über dem Kopf. Sie öffnete es und strich liebevoll über die noch leeren weißen Seiten, die so geduldig dalagen, bereit, ihren Schmerz aufzunehmen.

»Es tut so weh, so wahnsinnig weh«, sagte sie zum Hündchen, welches das Auf und Ab des Lebens so wenig zu verstehen schien wie sie.

»So ende ich mit dem Dackel in Verona«, schrieb Johanna. »Ich hätte in diesem verdammten, elenden Hotelzimmer die Pflicht, mich endlich umzubringen. Aber ich tue es nicht.«

»Wo sind die wirklichen Katastrophen«, würde Gustave wieder sagen, »Katastrophen geschehen bei dir immer nur halb.«

Ich glaube, die halben Katastrophen sind die schlimmsten. Ganz hat immer was Großes. Halb ist beschissen. Halbjüdin, halb verrückt, halb warm, halb kalt, halb lesbisch, halb...

Dieses nach Urin stinkende, finstere Hinterhofloch mit den herunterhängenden Tapeten, den von Schimmel zerfressenen Wänden dahinter – was ist geschehen, daß ich jetzt hier ende.

Was ist geschehen. Die Tage fingen an, friedlich und gut zu werden in Punta Rossa. Marie-Lou und ihr Hund waren wieder fort, Gustave saß auf der Terrasse und schrieb, ich las in der Sonne, wir gingen spazieren, lagen am Strand, gingen ins Dorf zum Einkaufen, große Berge von Gemüse und Fleisch, Gustave kochte, Gustave war fröhlich, Gustave wurde wieder zärtlich, auch außerhalb des Bettes. Ich faßte Vertrauen und kam heraus aus meiner Angsthöhle. Das Leben war so schön, so wohltuend, daß ich anfing, mich unbändig daran zu freuen, bis zu dem Tag, an dem der pfeifende Briefträger auf seinem Fahrrad daherkam. Gustave nahm einen rosa Brief in Empfang mit einer kleinen Krone hintendrauf: Das Top-Modell hatte geschrieben.

Ich erstarrte vor Schreck. Die Eifersucht überfiel mich wie eine Horde wilder Indianer, ich war über und über bedeckt mit giftigen Pfeilen und schon halb tot, bevor Gustave es mir mitteilte: Sie wollte ihn sehen, es wieder mit ihm versuchen, er sollte sie am Gardasee bei Freunden abholen.

Gustave war selig. Vielleicht wäre alles anders geworden, wenn ich auch selig gewesen wäre. Wenn ich mich nobel und stillschweigend im Meer ertränkt hätte.

Aber ich weinte und weinte. Ich mochte nichts mehr

essen und trinken, ich weinte die ganze Nacht. Und Gustave saß wie Gottvater auf der Bettkante, goß eine halbe Flasche Whisky in sich hinein und überschüttete mich mit Vorwürfen. Wenn ich daran denke, brummt mir der Schädel, als sei der Ozean darin losgebrochen.

»Du bist ein Irrtum. Du hast keine Größe«, sagte er angewidert. »Du zerstörst den letzten Rest von Zuneigung. Warum reagierst du immer wie eine Wahnsinnige? Kannst du nicht einmal Ruhe geben, abwarten, mußt du immer plärren wie ein Kind, dem man den Schnuller entzogen hat? Wenn du nur die geringste Erziehung hättest, wäre vielleicht noch ein Mensch aus dir geworden. So aber bist du nichts als ein Irrtum, ein gottverfluchter Irrtum, auf den ich wieder einmal hereingefallen bin, aber zum letztenmal, das schwöre ich dir, sonst schneide ich mir die Eier ab.«

Und dann liebten wir uns wieder, verbissen uns ineinander, als ginge es um Leben und Tod.

Als er einschlief, hielt er noch meine Hand fest, und ich, ich betete alle Mächte an, daß es wieder gut werden möge. Ich hätte den Himmel herunterreißen können, um gehört zu werden. Aber es wurde nichts wieder gut. Am Morgen – es war doch erst heute und scheint eine Ewigkeit her – konnte Gustave mich und den Hund nicht schnell genug ins Auto kriegen, um abzufahren.

Das ist alles, was geschehen ist, und nun sitze ich hier in dem stinkenden Loch.

Ach, ich hatte trotz all meiner Ängste auf ein Wunder gehofft, als ich vor vier Wochen nach Mailand fuhr, auf ein Happy-End, wie im Film. Es kann, es darf doch nicht wahr sein, dieses Ende, dieses jämmerliche Ende. Ich hoffe krankhaft selbst jetzt noch, daß die Tür aufgeht und ein Engel erscheint – ein Engel, Unsinn, nur er soll erscheinen, Gustave, aber er erscheint nicht, er erscheint nie, nie wieder.

Es ist aus, Diotima, es ist aus, merke dir das. Ich bin jetzt seine Mutter im Milchstüberl. »Ich glaube, ich habe heute meinen Sohn verloren«, sagte sie. »Ich werde Gustave nie wieder sehen.«

But being awake, I do despise my dream.

Ich bin wie ein armes Huhn, das in einen großen Leimtopf gefallen ist, nun versuche ich noch zu flattern und kann es doch nicht mehr.

»Puh«, sagte Johanna und konnte wieder weinen. Sie hörte auf zu schreiben und blätterte in ihrem Heft. Sie wollte wissen, ob vielleicht das, was sie in Punta Rossa geschrieben hatte, ihre traurige Geschichte aufklären würde.

Johannas Notizen

Punta Rossa

Ich bin ruhig, ganz ruhig. Ich atme. Ich werde geatmet. Welch tröstlicher Gedanke. Gustave ist die schwarze Laus, die Zecke in meinem Gemüt. Seit er die Treppe heraufgekommen ist, bin ich keine Minute mehr ruhig gewesen. Ich meine, ich muß daran sterben. Ich bin nicht ruhig. Ich bin müde und nervös. Erlöse uns, Herr, erlöse uns von dem Übel, dem Übel der eigenen Scheißnatur.

»Halt dein Maul«, schrie Gustave heute abend, »du servierst mir den Krautsalat deines Hirns und verlangst, daß ich zuhöre. Wovon redest du, in was für ein geistiges Niveau bin ich da geraten, in was für eine Klasse.«

Er hat wieder einen langen Bademantel an, der liebe

Gott, dieses Mal ist er gelb mit einem großen G auf der Brust, sein Haar ist auch gelb, gelb gefärbt, alles ist gelb, wie ein Himmel, aus dem wieder Pech und Schwefel fällt, es donnert und blitzt, und warum bloß, warum. Weil seine Fischsuppe schlecht war, weil sein Top-Modell nicht schreibt, weil ich Unsinn rede in meiner Not, weil Marie-Lou von nebenan ihm auf die Nerven geht mitsamt ihrem Basset, der wiederum meinem Hündchen auf die Nerven geht, so daß es sich nur noch unter das Bett verkriecht, was Gustave langweilig findet.

»Der Hund ist wie du, er läßt sich unterbuttern.«

Unterbuttern, unterbuttern.

»Es wäre unmenschlich gewesen, nicht mit Marie-Lou zu schlafen«, sagte Gustave.

Marie-Lou, eine Freundin des Top-Modells, war ihm einfach nachgereist. Sie kam einen Tag nach uns in Punta Rossa an und quartierte sich in dem Bungalow neben uns ein. Ihr großer Hund ist sehr schön, aber er hat meinem kleinen Hund einen Komplex eingejagt. Ich hätte gleich wieder tot umfallen mögen, als ich Marie-Lou sah. Ich war so froh, mit Gustave allein zu sein, schon kommt dieses Weib an. Und sie dachte nicht daran, mit uns gemeinsam zu schlafen. Sie wollte Gustave allein haben.

Punta Rossa

»Was diese Kategorie Frau wie Pat und Marie-Lou an mir lieben«, erklärte mir Gustave, »ist, so seltsam es klingen mag, meine Gerechtigkeit. Und dann sagen diese Frauen, die, die wirklich weiblich sind, ich sei der männlichste Mann. Die andere Kategorie Frau ist die, die ich zerstöre. Und ich möchte wissen, was diese Zerstörung in mir auslöst. Es sind die Dämonen am Werk.«

Ich sitze da und muß mir das anhören, das von den Frauen, die er nicht zerstört, weil sie so fabelhaft sind und keine Eifersucht kennen. Und ich versuche, intelligent und verständnisvoll dreinzuschauen und habe die aufgewärmte Fischsuppe im Bauch. Gustave bestand darauf, daß sie gegessen würde und gut sei. Er wollte nicht zugeben, daß ihm eine ganze Tüte Salz hineingefallen war. Und der Teufel schwimmt in der Fischsuppe herum und schwimmt und schwimmt, bis ich aufs Klo stürze und kotze.

Oh Scheißnatur, Herr erlöse, erlöse...

Es ist ja gar nicht so wichtig, wie grausam Gustave ist, wichtig, ja tödlich ist, daß ich mich dieser Grausamkeit hingebe, daß ich mich auf sie einlasse, mich ihr nicht schon vor Jahren entzogen habe. Tödlich ist, daß ich ihn liebe.

»Ich kann mich für eine Weile einem Menschen verpflichten, aber wenn er anfängt, eine kleine Schwäche zu zeigen, dann schlage ich in die Kerbe«, sagte er.

Sein Vater war ein Bronzefels, seine Mutter, ich sehe sie im Milchstüberl am Bahnhof sitzen, ein großer, dunkler Turm aus Stärke. Und er, er ist der männlichste Mann.

Seine Mutter saß da, genauso steil wie ihre Handschrift, und sie hatte einen hohen, grauen Hut auf, unter dem ihre Backen etwas rot wurden, als ich kam, um mich von ihr zu verabschieden. Gustave hatte sie nach einer Auseinandersetzung einfach allein auf dem Bahnhof zurückgelassen. Sie sagte: »Ich glaube, ich habe heute meinen Sohn verloren.«

Punta Rossa
Heute kam Gustave ziemlich betrunken von Marie-Lou zurück.

An solchen, von Dämonen zerfressenen Tagen verhöhnt er mich, sobald ich den Mund auftue. »Schau«, äfft er mich nach, »das ist soo schöön.« Das SCH pfeift er wie ein Meerschwein.

Wenn die Dämonen am Werk sind, dann kommen sie zu Tausenden aus ihm heraus und überfallen mich. Nach ein paar Minuten sehe ich schlimmer aus als die Mutter, nachdem sie damals in Bauer Lippekes Bienenstock gefallen war.

Ist das das Rosenfest, das du versprachst…

Der Akt der Unterwerfung müßte freiwillig geschehen. Aber wen man untergebuttert hat, den liebt man nicht.

Und dabei ist der Himmel heute so klar, als ob der liebe Gott ein guter Mann wäre und einem nie im Leben mehr etwas Böses zustoßen könnte.

»Sobald bei Frauen Empfindsamkeiten hervorkommen, hat man das Gefühl von schlechter Kinderstube«, sagt er zu mir. »Dann meint man, man müsse dazwischenschlagen und herumerziehen, und das ist alles viel zu langweilig und mühsam.« Ich kann ihn verstehen. Ich gäbe Gott weiß was darum, wenn ich diese verdammten Empfindsamkeiten nicht hätte.

Plötzlich setzt sich Gustave mitten in der Nacht im Bett auf und schreit, er könne die Luft nicht mehr ertragen. »Ich bin andere Luft gewöhnt«, schreit er, »ich bin von jeher nur mit Adel zusammengewesen, ich kenne gar nichts anderes. Du bist die erste Bürgerliche in meinem Leben, die mir so nah an die Haut gekommen ist, und ich kann es nicht ertragen.«

Ich leide. Ich schleiche mich ins Bad und glotze in den Spiegel. Ich denke an meinen schönen guten Vater. Warum hat er kein Prinz sein können.

Ich glaube, ich bin schwermütig geworden. So wie Krümmelbeins Kanarienvogel, den wir einmal zur Pflege hatten. Ich weiß noch, wie er dasaß und seine ängstlichen runden Augen bis zum Erstarren weit geöffnet hatte. Er machte seinen Schnabel nicht mehr auf. Er mochte auch nicht wegfliegen, obwohl wir ihm alle Fenster öffneten. Er hockte nur da und war schwermütig. Eines Tages war er Gott sei Dank tot. »Das Biest in der Höhle ist keine Krake...« Ach, ich habe versagt, ich habe den Oberlehrer nicht totlieben können...

»Wenn du noch einen Ton gegen den Adel sagst, fliegst du im Nachthemd auf die Straße. Und zwar fliegst du so hinaus, daß die Luft hinter dir zum Kondensstreifen wird.« – Warum habe ich bloß etwas gegen den Adel gesagt. Aus Eifersucht, ohne Zweifel, wegen des Top-Modells. Warum bin ich so aufsässig, wenn ich ihn so liebe.

Er sitzt ganz nackt da und läßt neben der Hocharistokratie nur noch die Eskimos gelten. »Das Unreflektierte ist das wahre Große. Unreflektiert können heute nur noch die Hocharistokraten und die Gemüsehändler sein«, sagt er. Ich muß an Herrn Valentin und seine Lockenperücke denken und frage, ob das unreflektiert sei. »Ja«, sagt er, »die Gemüsehändler sind auch schon verdorben, denn der Sohn des Gemüsehändlers muß unbedingt was Besseres werden. Und wenn er was Besseres geworden ist, dann wird er sich erschießen, das prophezeie ich. Der Sohn von Fugger aber wird die Tochter von Kennedy heiraten, und so werden die Hocharistokraten immer überstehen und die Gemüsehändler und alle anderen untergehen.«

Ich hätte nie etwas gegen den Adel sagen dürfen, dann wäre sicher alles anders geworden. Es war bei mir ja nur der Neid, der Neid auf seine Liebe, der ich nicht zugehöre.

Ich bin nicht nur eifersüchtig, ich bin auch neidisch auf das Top-Modell, neidisch auf alles, sogar auf ihre Hemmungslosigkeit, ihre Freiheit, genau das zu tun, was sie will. Sie bestellt sich zwölf Kaffee auf einmal, ißt Käsebrot mit Marmelade und zieht im Bett lange schwarze Strumpfhosen an, damit es schwer ist, an sie heranzukommen. Ich bin neidisch auf Gustaves unglückliche Liebe zu ihr, und ich glaube, dieser Neid ist das Schlimmste an mir, die Wurzel allen Übels. Der Neid und die Eifersucht haben mir den Hals gebrochen.

Und der Hans schleicht umher, trübe Augen, blasse Wangen, ach so sehr tut's ihm bangen...

Ein Irrtum. Bin ich ein Irrtum der Natur, so wie Puppe Wunderhold ein Wunder der Natur ist?

Man kann die verlorene Unschuld nicht wiederfinden. Man sucht danach, wie ein Schwein nach Trüffeln, aber man kann sie nicht wiederfinden.

Punta Rossa

Er hat mir erzählt, während er sich seine Schuhe auszog und sie sorgfältig auf die Spanner tat, daß er mit dem italienischen Doktor, bei dem er zum Essen eingeladen war, von Herzen gelacht habe. »Es bedarf einer gewissen Humanität, um von Herzen lachen zu können«, sagte er. Ich wollte auch gern mit ihm lachen, aber auf einmal fing er ganz unmotiviert zu schimpfen an und schrie: »Und dann wundert man sich, wenn es Momente gibt, in denen ich meiner ersten Gattin und meiner zweiten Gattin die Bäuche aufschlitzen möchte, um ihnen die Gedärme herauszureißen.«

Warum mir den Bauch aufschlitzen?

Weil ich es wagte, an seiner Erziehung zu zweifeln, sagte er. Ich habe niemals an seiner Erziehung gezweifelt, ich kann es nur einfach nicht aushalten, wenn er zu sehr Bismarck wird. Ich fange aus Angst an zu beißen. Ich werde gemein und klein und sage irgend etwas, das ihn verletzt.

»Du Scheißmalerin«, sagt er, inzwischen sehr betrunken, »was willst du denn mit deiner Malerei, willst du Erfolg haben oder willst du dich ausdrücken? Die Bilder, die du malst, sind wirklich zu töricht. Mach dich frei von deiner Scheißpsychologie, die die Psychologie einer Marktfrau ist. Glaube mir, es ist nichts da im Unterbewußtsein. Nimm ein Objekt, male Porträts! Was du jetzt machst, ist ein mißverstandener Umweg.«

Er sitzt vor mir, völlig ohne Hals, der Kopf klein und braunverbrannt wie eine Röstkastanie, und läßt immer in Abständen von einer Minute die Luft ab. »Pardon, nur vom Magen«, sagt er.

Wenn diese Liebe, dieser größte Wunsch, nur mein tiefster Traum ist, dann weiß ich, daß es beim Erwachen mit meiner Kraft zu Ende ist.

Punta Rossa

Einmal habe ich gesagt, er habe Geltungsbedürfnis. So ein Unsinn, warum sage ich ihm so was?

Schon allein deshalb wollte er sich scheiden lassen, damit ihm niemand mehr so etwas sagen könne. »Ich will meinen Frieden, und ich werde ihn haben, sei sicher«, schrie er. Und er sagte, ich solle meine Sachen packen und gehen. »Forderungen, immer Forderungen. Seit ich ein Jahr alt bin, werden Forderungen gestellt. Und dann werden Vorwürfe gemacht. Ich will endlich einmal keine Vorwürfe mehr. Ich will, daß mein Leben in Ruhe gelassen wird. Es geht niemanden etwas an. Ich nehme keine Rücksicht, und man hat sich damit abzufinden.«

Vielleicht rächt er sich an mir für das, was seine Mutter und seine Schwestern ihm angetan haben. Für die Spitzenhöschen, die er damals tragen mußte. »Sie hat am selben Tag Geburtstag wie die Menschen, die mich am meisten gequält haben«, hörte ich ihn einmal von mir zu irgend jemanden am Telefon sagen. »Ich hasse Psychopathen, und immer wieder habe ich mit ihnen zu tun.«

»Schuldkomplex«, sagt er, »das ist so eine Art Hosenbeschau. Ich habe eine alte Freundschaft gebrochen, weil dieser Freund es gewagt hat, mir zu sagen, ich hätte einen Schuldkomplex.«

Der Freund muß so ein verteufelter Idiot gewesen sein wie ich. Man sagt Gustave solche Sachen nicht.

Wenn Marie-Lou nur wieder abfahren würde. Die Tage, bevor sie kam, waren sehr glücklich. Gustave war bester Laune und liebevoll. In meiner Angst hätte ich nie gedacht, daß das Wiedersehen so schön werden würde. Die Kartause von Parma – Gustave war wie ein großer Engel, als er mich bei der Hand nahm und sie mir zeigte. Keine Touristen auf dem Platz in San Giminiano. Bloß die alten Männer mit hängenden Hosen, schielend, bucklig, betrunken, schmutzig, glücklich. Siena, Florenz, alle Wunder sah ich staunend und größer als je zuvor, weil er bei mir war. Die erste Nacht hier, das Meer, die Sterne –

alles war gut, aber auf einmal kam der Basset angesabbert, und da war es aus mit dem Frieden.

Heute war seine Laune so vergiftet, daß er mir sagte, ich sei irrsinnig. Alles an mir sei blanker, heller Irrsinn. »Man merkt übrigens deutlich, daß es in der Familie liegt«, sagte er, »denn deine Schwester ist ja auch irrsinnig.« Und er meinte damit Alma Elisabeth.

Die schlimmsten Bosheiten sagt Gustave, wenn er in der Badewanne liegt. Da ist es schön warm, und da sprießen die Bosheiten aus ihm heraus, wie die Krokusse aus der Frühlingswiese. »Wie du mir die Mitesser auf dem Rücken ausdrückst, zerfahren, eilig, nie ganz fertigmachen, aufgeben, so ist dein ganzer Charakter.«

Gustave hat recht. Er ist der liebe Gott. »Ich bin ruhig, ganz ruhig«, fange ich wieder an zu sagen. Lege mich dreimal am Tag hin und suche vergebens den blöden Fixpunkt. Mein rechter Arm, mein linkes Bein, alles wirbelt hoffnungslos durcheinander. Ich frage Gustave, warum er so gegen Psychoanalyse sei. »Alle vernünftigen Menschen sind gegen Psychoanalyse«, sagt er. Und Freud kann man überhaupt nur verstehen, wenn man über den Kaiser Franz Joseph Bescheid weiß.

Bis zwei Uhr nachts hält er mich mit Vorlesen wach, und um sieben Uhr früh schreit er schon wieder aus dem Bad, ich solle ihm die Füsse bürsten, und wenn ich gähne, sagt er, ich kränkle. Er sagt wieder, ich hätte noch nie über mich nachgedacht. Er sagt, ich hörte weder mir noch anderen zu. Ich hätte die Veranlagung meiner Schwester Alma Elisabeth, Geschwätzkrämpfe zu kriegen, die von vornherein verstrudelt seien.

Es ist wahr, daß ich nicht nachdenken kann, Gustave sieht das ganz richtig.

Ich kann nicht.

Ich kann nicht, liegt auf dem Friedhof... Mutters Wahlspruch. Ihr kommt es gar nicht in den Sinn, irgend etwas nicht zu können. Sie kann alles, wenn sie nur will. Sicher hat sie recht. Mutter und Gustave haben immer recht. Aber mich hat die Mutter mit ihrem verdammten *Ich kann nicht gibt es nicht* in solchem Maße kopfscheu gemacht, daß ich in Angstkrämpfe verfalle, sobald ich etwas können soll, ganz gleich was. Autogenes Training kann ich schon gar nicht. Ich bin ruhig, ganz ruhig.

Punta Rossa, immer noch August

Gustave war heute besonders guter Laune. Karlchen sähe aus wie ein stigmatisierter Metzgergeselle, sagte er fröhlich, als er Spaghettisauce kochte. Gustave hat immer treffende Vergleiche für meine ehemaligen Liebhaber. Gilbert, den er sich wie Sir Lancelot vorgestellt habe, sähe aus wie der Kindsmörder Harmann, der, der die Wurst aus den Kindern machte. Zu Anfang unserer Ehe bin ich mit Gilbert einmal hinauf in sein Hotelzimmer gegangen, das hält mir Gustave heute noch vor. Aber schließlich wartete ich in dem Zimmer ja nur auf Gustave, den ich unbedingt Gilbert vorstellen wollte, und an Gilbert war ich überhaupt nicht mehr interessiert, nicht einmal mehr an seinem vielsträngigen Lederpeitschchen, das mich einmal sehr entzückt und das er für alle Fälle mitgebracht hatte. Ich liebte nur Gustave und freute mich so, als ich endlich die Eisenplättchen unter seinen handgemachten Schuhen auf dem Hotelgang klappern hörte.

Wenn ich denke, wie eifersüchtig Gustave zu Anfang war. Ich bin gebissen, geschlagen, an den Haaren die

Treppe heraufgezogen worden. Er hat mich eingesperrt und eine brennende Zigarette auf meiner Brust ausgedrückt. Und auch jetzt kann er noch eifersüchtig sein, wenn ich von R. rede. Ob ich deshalb Hoffnung haben soll?

Ein feste Burg ist unser Wahn.

Es fasziniert mich nur das, von dem ich trotz aller Bemühungen nichts verstehe, das Unheimliche. Ich bin festgeklebt am Unheimlichen, darum kann ich nicht weg, leider.

Auf seinem Gesicht wüchse der Bart nachts nach innen, behauptet Gustave, und pudert sich deshalb kalkweiß, bevor er einschläft. Er sieht furchtbar aus. Das Verlangen nach dem Furchtbaren als dem würdigen Feind! Er schnarcht. Ich betrachte mir seinen kleinen, runden, furchtbaren Feindeskopf und liebe ihn so.

Ich schlafe schlecht. Liebe Nacht, versuche ich zu sagen, schwarze Nacht, lange Meter aus Seide zum Streicheln, wie das weiche Fell des Hundes. Es nützt nichts, ich kann sie nicht ertragen, die Nacht, obwohl ich sie liebe. Ich kann nicht eintreten in das Dunkel, ohne jedesmal vor Angst zu sterben.

Um mich von den Erinnerungen fortzuholen, die mir wieder kreuz und quer durchs Hirn schwimmen, habe ich die Schlafpillen gezählt, die ich während der letzten Jahre genommen habe. Dann habe ich eine Pinzette genommen und versucht, dem Hund seinen wackelnden Zahn zu ziehen, damit er nicht so stinkt, was Gustave stört und mich deshalb noch nervöser macht.

Punta Rossa, 29. August

»Wenn man herausfinden könnte, wo in der Liebe die

Zerstörung einsetzt und wo die Grausamkeit, dann hätte man der Welt einiges mitzuteilen«, sagte Gustave heute.

Es könnte sein, daß bei mir die Zerstörung mit dem Orgasmus zusammenhängt. Das Erlebnis ist zu stark, ich kann nicht verzeihen, daß ich nicht eins bleiben kann. Aber das ist eine ganz subjektive Angelegenheit, wenn sie überhaupt stimmt, und ich glaube kaum, daß diese Mitteilung irgend jemandem etwas nützen würde. Die meisten Menschen geben doch Frieden nach einem guten Orgasmus und fangen nicht an, um sich zu schlagen, weil er nicht ewig dauern kann.

Unersättlich, wie die arme Großmutter.

Ich muß daran denken, daß Professor König Fieberthermometer und Bleistifte in Damenblasen fand. Was man nicht alles tut. Da finde ich Anni Kippels Flasche aufregender oder die Hartwurst vom Schloßherrn.

Punta Rossa

Vögeln ist ein herrliches Spiel, findet Gustave, und er hat natürlich recht. Bloß wünschte ich, ich hätte das eher begriffen. Aber wie sollte ich denn, bei meiner Erziehung. Und für Untergebutterte ist es auch nicht immer so herrlich, das Spiel. Paula zum Beispiel erzählte: »Mir war die Zeit im Landhaus der berühmten Schauspielerin eine Qual. Ich mußte immer neben den beiden liegen, wenn sie miteinander schliefen. Wo sollte ich auch hin«, sagte sie, »ich hatte ja keinen Pfennig, nicht einmal eine Fahrkarte nach Hause mit den Kindern. Wir hingen alle von ihr ab, sie zahlte ja alles. Sie kam einfach immer nachts in unser Zimmer und legte sich zu meinem Mann ins Bett.«

Es gibt wohl noch Schlimmeres als Gustave.

»Die Männer sind alle Schweine«, sagte Paul, als ich ihm einmal mein Herz ausschüttete. »Wenn es die Säue nicht gäbe, würden sich die Männer ganz schön allein und absonderlich vorkommen in der Gesellschaft.«

Die ganze verdammte Erde scheint sich nur darum zu drehen, ob man jemanden findet, mit dem man zusammenleben kann, um die ewige Sehnsucht nach dem anderen zu stillen. Man will zugehören, und wenn man das nicht kann, ist man verloren. Eine traurige Geschichte.

Ich kannte die Art von Strafen nicht, die Gustave an mir ausübt. Ich muß für ihn ein Arthur Goldhammer sein, der Junge in der Schule, dem ich einmal den Hals waschen mußte und der immer verhauen wurde, ganz gleich, ob er etwas getan hatte oder nicht.

»La dedans«, wie Angela Maggi sagte. Ich habe auch alles da drinnen, in der Brust, aber ich kann es nicht herauslassen. Und wenn ich es herauslassen könnte, was würde es nützen. Es würde mich erleichtern, mich ordnen, das wäre schon was. Aber würde es irgend jemandem sonst etwas bringen? Es wäre nur eine unglückliche Liebesgeschichte mehr unter all den unglücklichen Liebesgeschichten, die schon geschrieben worden sind.

Was wäre die Aussage?

Die Aussage wäre die Zerstörung, die Unterdrückung.

Aber wie kam es zu der Unterdrückung? Wie kommt es, daß immer einer auf dieser Welt die Macht hat und der andere nicht?

»Einen Minderwertigkeitskomplex haben heißt, daß man minderwertig ist«, sagt Gustave.

Ich hatte, als er es sagte, nichts Besseres zu tun, als ihm vorzuwerfen, er sei ein Diktator.

»Weil du jüdischer Abstammung bist, hast du noch lange nicht das Recht, mich einen Diktator zu nennen.«

Es war nur wieder einer meiner lächerlichen, trotzigen Versuche der Auflehnung. Er hat ihn gleich niedergeschlagen.

Punta Rossa

Heute, am ersten Septembertag, war eine Art Sturmflut. Überall am Strand waren rote Fähnlein aufgestellt, damit keiner hinausschwimmt, aber Gustave wollte es unbedingt doch, wollte die Elemente bezwingen und tat es auch. Ich saß zitternd am Ufer, sein Katzenkopf, der Inbegriff aller Herrlichkeit, wurde immer kleiner, oft sah ich ihn gar nicht mehr und starb ein wenig vor Angst. Dann sah ich aber wieder seinen Arm, der mir zuversichtlich zuwinkte. Er kam zurück, unversehrt, stieg aus dem beißenden, schäumenden Maul des Meeres, wieder ganz der liebe Gott. Ich hielt ihm das Badetuch hin, lobte seinen Mut und seine Kraft. Er war ganz froh und voller guter Laune und zerrte mich gleich hinter einen Busch wegen des herrlichen Spiels.

Übrigens vögeln wir immer wundervoll. Das ist eine starke Bindung, trotz allem, und ich kann mir einfach nicht vorstellen, daß er jemals leben kann, ohne mit mir zu schlafen. Ich bilde mir ein, ich sei eine tiefe Notwendigkeit für ihn, und hoffe, es ist wahr.

Marie-Lou will wieder abfahren (3. September). Sicherlich hat sie auch Kummer.

»Alle Liebe muß am Kreuz enden«, sagt Gustave.

Ich möchte so gern wissen, ob es eine Befreiung gibt. Liegt die Befreiung etwa darin zu begreifen, daß es die

Befreiung nicht gibt? Alle Befreiung, von der man so lange träumt, endet doch immer wieder in einem Gefängnis, in der Liebe, der Einsamkeit, dem Kummer, der Gewohnheit, dem Unterordnen. Jede Lebensform ist immer wieder Gebundenheit, an andere oder an sich selbst. Ich weiß nicht, wo die Freiheit ist. Vielleicht liegt sie im Loslassen. Wenn man loslassen kann, kann man auch fliegen. Wenn man fliegen kann, nimmt man sich leicht.

Aber wer kann schon fliegen außer den Heiligen?

Auch bleibt immer noch der Mond. Ich meine, selbst wenn man von nichts mehr abhängig wäre, bliebe man immer noch abhängig vom Mond und vom Wetter. Wenn man alles andere, was man von Geburt an mitschleppt, besiegen könnte, alle Ängste, alle Komplexe, allen Tod, jeder Sturmwind wäre fähig, alles wieder umzuwerfen. *Es sind die Versuche wohlgemeint, aber sie bleiben fast lächerlich.*

Johanna war enttäuscht. Sie fand ihre Notizen läppisch. Sie hatten nichts zu tun mit ihrem überwältigenden Kummer, ihrem zerstörten Leben. Ein einziges, verdammtes Scheitern war ihr Leben, viel Demütigung, zuviel Irrtum. Ach, das Durcheinander, der Krautsalat.

Wer fühlet, wie wühlet der Schmerz mir im Gebein... Natürlich, der Goethe, der konnte aussagen.

Johanna schluchzte.

Der Hund duckte den Kopf und rückte etwas ab von ihr. Laute Ausbrüche waren ihm peinlich.

»Du hast ganz recht«, sagte sie. »Es ist nutzlos. Nutzlos die ganze große Liebe. Aber wahrscheinlich wäre es noch viel nutzloser, daran zu sterben.«

Johanna schneuzte sich, um Luft zu bekommen. Sie dachte, ihr Kopf sei für immer und ewig verstopft vom Weinen.

»Erst mal heraus aus diesem Stinkeloch«, sagte sie, »und dann kaufe ich dir eine große Wurst, du armes Tier. Der Scheiß-Gustave hat dir nicht einmal auf Wiedersehen gesagt.«

Das Hündchen freute sich, als Johanna aufstand, und lief gleich zur Tür.

Johanna weckte den schmutzigen, kleinen Portier, der auf seinem Stuhl eingeschlafen war, zahlte und ließ sich von einer Taxe in ein Restaurant in der Nähe der Arena fahren. Johanna glich einem Zombie, als sie durch das Lokal ging, und hatte das Gefühl, daß die Leute sie anstarrten und entsetzt vor ihr zurückwichen. Aber das war auch nur wieder ihr Wahn. Die Leute waren sehr freundlich und scherzten mit dem Hündchen.

Sie hatte von all dem Leid einen großen Hunger bekommen und bestellte sich alles, was sie gerne aß – Spaghetti mit kleinen Muscheln, Spinatsuppe, ein riesiges Toskana-Steak und die wunderbare Eiersüßspeise, die wie das Himmelreich schmeckt. Ihr ungeheurer Appetit war wie eine Stimme aus dem Jenseits, die ihr mitteilte, daß sie doch noch unter den Lebenden weile, und nach dem dritten Glas Rotwein empfand sie plötzlich sogar eine Art zaghafter Hoffnung, jener Hoffnung gleich, die man zu Ostern hat beim Anblick der fahlen Wiesen, unter denen sich schon leise der Frühling und das Auferstehen regt.

Am Bahnhof bekam sie allerdings wieder einen ernsthaften Rückfall. Bahnhöfe deprimierten sie sowieso, selbst an glücklichen Tagen, und für einen Moment hätte sie gern die innere Größe oder den Mut von Anna Karenina gehabt. Aber sie war ja nur Johanna, und Katastrophen geschahen bei ihr immer bloß halb.

Der Zug kam, ein großer, schwarzer, etwas lärmender Sarg. Johanna meinte, denselben Schlafwagenschaffner zu erkennen, der ihr auf der Herfahrt die Abendzeitung geschenkt hatte.

»Die verschiedenen Verkleidungen des Todes«, durchfuhr es sie, und ihr Herz verkrampfte sich, »der Tod als Schlafwagenschaffner.«

Sie preßte das Hündchen fest an sich und fuhr ein in den dunklen Bauch der Nacht.

4. Kapitel
Alma Elisabeth, die Mutter und Johnny O'Hara
Szenen eines Zusammenlebens

Als Johanna um Gustave Ziborrah litt und Depardieu unentwegt »dépèche-toi!« schrie, wohnten die Mutter und Alma Elisabeth noch im großen Haus. Später wurden dann ihre Häuser immer bescheidener, bis sie schließlich beide in einem ganz kleinen Häuschen starben. Aber damals wohnten sie noch im großen Haus.

Alma Elisabeth stand dort im Schlafzimmer der Mutter und sagte: »Wenn aber Duke was passiert. Wenn er aber verunglückt und uns dann die Aufträge nicht mehr geben kann, dann ist alles aus.«

Sie sagte das schon über zehn Jahre lang, bis endlich etwas passierte und sie Ruhe gab.

Ich muß sehr weit ausholen, um zu erklären, wie es zu der Zeit mit Duke kam. Duke, der die langsam ertrinkende Familie noch ein wenig über Wasser halten konnte und dem es gelang, ab und zu Almas Untergangsmaschine zu bremsen. Eigentlich hieß dieser Duke gar nicht Duke, sondern bloß Rudi Herzog. Aber um zu verheimlichen, von wem sie redeten, nannten die Mutter und Alma ihn Duke oder Duck, wie die Mutter es aussprach, denn sie fühlten sich ständig von Spionen umgeben und dachten, alle Leute seien an ihren Angelegenheiten interessiert.

»Sag nicht Herzog, sag Duck.«

»Sag nicht Rudi, sag Rallala…«, sagten sie, wenn sie besonders geheimnisvoll sein wollten.

»Wenn aber Duke was passiert«, sagte Alma wieder.

»Hör mir auf mit deinem ewigen ›Wenn aber‹. Vorläufig ist er ja noch ganz gesund und munter«, stöhnte die Mutter, denn sie hatte Kopfweh von Almas Geschwätz.

Alma hatte schon früher sehr oft »Wenn aber« gesagt, eine Lebenshaltung, die sich im Alter verschlimmerte. *Wenn der Topf aber ein Loch hat,* so wie es in dem Volkslied die liebe Liese sagt, die in einem Topf Wasser holen soll. Trotzdem kann man mit diesem Lied nicht das ganze Wesen von Alma beschreiben. Alma war komplizierter. Sie bestand aus zwei auf den ersten Blick gar nicht zu vereinbarenden Hälften. Die eine Hälfte war: »Wenn aber…« und die andere, vom Wahlspruch der Mutter geprägte: »Ich kann alles, wenn ich nur will.«

Das Ergebnis dieser beiden Hälften, sozusagen deren Kind, war jene Untergangsmaschine, von der schon oft die Rede war. »Wenn aber« und »Ich kann alles« waren die Milch und das tägliche Brot dieses Kindes, das mit solcher Nahrung ganz ausgezeichnet funktionierte. Fast alles, was Alma unternahm, mißlang immer bestens und führte zu nichts weiter als eines Tages eben zum Untergang.

Alma und die Mutter hatten einen Horror vor Überlegenheit. Sie bewunderten darum beide sehr selten eine große Leistung, da sie annahmen, sie könnten alles genausogut wie jeder andere, wenn sie sich nur energisch an die Sachen heranmachen würden. Aus Vorsicht versuchte aber die Mutter niemals, irgend etwas zu können, sondern beließ es bei ihrer Einbildung. Alma hingegen versuchte manches. »Das kann ich auch«, sagte sie als kleines Mädchen, wenn einer der größeren Jungen im Sandkasten erstaunlich weit springen konnte. Sie schubste den Jungen beiseite, nahm Anlauf, sprang und flog nach ein paar Zentimetern sofort auf den Arsch.

Das war aber nicht ihr Unvermögen, sondern die Schuld des Sandkastens. Ihr Selbstvertrauen litt bei Niederlangen niemals, denn Alma zweifelte nicht an sich selbst. »Wenn aber« bezog sich nur auf die Umstände und die Vorsehung. Sie konnte alles. Wenn aber die Macht der Vorsehung ihr bösartige Hindernisse in den Weg legte, damit sie stolpern mußte, so war es nicht ihre Schuld.

Manchmal konnte sie wirklich etwas einigermaßen. Reiten konnte sie zum Beispiel in späteren Jahren ganz gut. Aber mit dem verbissenen Aufwand, den sie bei dieser Tätigkeit an den Tag legte, hätte sie eigentlich Weltmeisterin werden müssen. Daß sie es nicht wurde, störte sie nicht. Es genügte ihr zu denken, sie hätte es werden können, wenn sie nur gewollt hätte. Außerdem sagte sie: »Wenn der andere aber ein besseres Pferd hat...« und ließ sich erst gar nicht auf einen Wettkampf ein.

Da sie mit sich selbst zufrieden war, war Alma Elisabeth weder ehrgeizig noch neidisch. Heiratete eine ihrer Freundinnen einen Multimillionär, sagte sie: »Den, den hätte ich gar nicht genommen...«, und es kam ihr nicht in den Sinn, daß der Millionär sie vielleicht auch nicht genommen hätte. Zeigte einer ihr stolz sein großes neues Haus, neigte sie den Kopf zur Seite, wie sie es immer tat, wenn ihr etwas nicht gefiel, und sagte: »So was möchte ich nicht haben, so einen scheußlichen großen Kasten, so einen Klotz am Bein.«

Alles, was sie selbst hatte oder tat, fand sie gut, richtig und schön, auch wenn es erwiesenermaßen scheußlich, falsch oder unsinnig war. Ihre Mißgriffe und Fehlschläge wußte sie immer zu rechtfertigen mit unglücklichen Umständen oder höherer Gewalt, und zwar in hoffnungslos wirren Erklärungen, vor denen jeder die Flucht ergriff oder es zumindest versuchte, denn es war schwer, vor Alma Elisabeth zu fliehen.

Die Umstände, das heißt die anderen, die an allem schuld waren, verstand sie allerdings oft nicht. Und sie empfand deshalb Leid, welches sie ausdrückte, indem sie stundenlang – einmal sogar jahrelang – bewegungslos dasaß und vor sich hinstarrte. Warum O'Hara so plötzlich verschwunden war und sie verlassen hatte, verstand sie nicht, oder warum ihr Sohn Johnny so seltsam geworden war und vieles andere am Leben. Deshalb gewann das »Wenn aber« eines Tages die Oberhand, und Alma Elisabeth fing an, alles ziemlich schwarz zu sehen.

Alma Elisabeth war ein Jahr, nachdem die Schrecken des Krieges und der Verfolgung vorbei waren, sofort wieder in ihre Heimat zurückgekehrt. Sie kam mit Johnny O'Hara als einzigem Hab und Gut ziemlich erschöpft aus dem fremden Land, warf sich aber, kaum war sie wieder bei Kräften, mit voller Wucht ins Geschäftemachen.

»Ach, lassen Sie sie doch«, sagte die Mutter zu Duke, der die Katastrophe kommen sah, »sie hat so wenig vom Leben gehabt.«

Diese Meinung der guten Mutter bezog sich auf Almas Pech mit O'Hara und auf ihren Amerikaaufenthalt, der nicht gerade rosig gewesen war, und von dem jetzt kurz erzählt werden soll.

Die Mutter hielt Alma für die intelligenteste ihrer drei Töchter und war überzeugt, daß Alma etwas Besonderes geworden wäre, wenn sie nicht hätte auswandern müssen. Von Almas Untergangsmaschine wußte die Mutter nichts.

Die Untergangsmaschine war noch ganz klein bei der Abfahrt nach Amerika. Der Vater hatte Alma an einem graunebligen Tag zum Hafen gebracht. Alma hatte damals nicht gewußt, wie ihr geschah. Sie schaute erschrokken aus ihren riesigen Augen – ein Kalb, das zur Schlachtbank geführt wird. Sie war erstarrt, sie konnte nicht einmal weinen. »Jetzt weine ich doch«, rief sie dann dem Vater vom abfahrenden Schiff aus noch zu, denn die großen Tränen, die in den Ozean fielen, konnte der Vater vom Hafen aus ja nicht mehr sehen.

Je kleiner der Vater in der Ferne verschwand, desto unüberwindlicher wurde Almas Kummer. Sie verstand nur vage, warum sie eine dieser Unglückseligen war, die ihr Vaterland so plötzlich verlassen mußten und die schluchzend neben ihr über der Reling hingen. Alma wollte zurück zu Mutter und Vater, sie haßte das Schiff, das sie so unerbittlich stampfend und tutend von allem fortriß, um sie in eine ungewisse Zukunft zu fahren.

Als Alma auf diesem Schiff stand und weinte, war sie noch sehr jung und im vollen Besitz ihrer Schönheit, selbst ihrer schönen Augenbrauen, die sie sich später so gründlich ausrasierte. Während der Überfahrt ließ sie sich, so gut es ging, von einem der Schiffsoffiziere trösten. Er erzählte ihr viele Wunderdinge von der neuen Welt, vom Land der unbegrenzten Möglichkeiten, und am Morgen konnten die traurigen Auswanderer auf dem frischgestrichenen Deck Almas Fußspuren zu seiner Kabine sehen. Aber der Trost hielt nicht an. Als Alma die Silhouette der Neuen Welt so gewaltig undurchdringlich aus dem Meer sich erheben sah, überfiel sie das Heimweh wieder mit aller Macht. Sie blieb weinend neben ihren Koffern sitzen, und man mußte sie zwingen, das Schiff zu verlassen.

Kaum war sie dann mit einem Fuß an Land, schlug ihr schon ein Polizist auf die Schulter: »How do you like this country?« rief er freundlich grinsend. Alma dachte, sie sei in der Hölle gelandet, aber das sagte sie dem freundlichen Polizisten nicht.

Irgendwo im Gewühl der Ankommenden und Wartenden entdeckte sie Cousine Lottchen, die sie abholte. Alma versteckte sich eine Weile hinter einem Pfosten und weinte in ihr Taschentuch. »Komm nur hervor«, sagte Lottchen, »wir haben uns ja alle gewöhnen müssen.«

Lottchen wollte Alma die große Wunderstadt zeigen und mietete eine glühendheiße Hotelbude, in der sie übernachteten. Aber am nächsten Morgen schon schrie Lottchens Vater, der Onkel Abraham, ins Telefon, daß sie beide nie mehr nach Rochester zu kommen brauchten, wenn sie nicht sofort aufhören würden, sein Geld in New York auszugeben. Der Onkel Abraham war streng und leidgeprüft durch sein Auswandererschicksal. Die Tante hatte Kuchen gebacken zu Almas Empfang und wartete.

Rochester gefiel Alma nicht. Lauter häßliche Baracken aus Holz mit einer Veranda, auf der immer ein einsamer Schaukelstuhl stand. Ach, sie fand alles in der Heimat soviel schöner.

»Sei dankbar, daß du dem Mörder dort entkommen bist und heul nicht herum, sondern mach was aus dir. Du mußt von der Pike auf anfangen und Geld verdienen, so wie wir alle, dann wird's schon werden«, sagte der Onkel. Er war einst in Deutschland ein angesehener Bankdirektor gewesen. Dann hatte er in Rochester mit einem anderen Leidensgenossen ein ziemlich schlechtgehendes Restaurant aufgemacht und war nun Koch.

Von der Pike auf anfangen wollte Alma nicht. Sie arbeitete zwar ein paar Wochen als Kellnerin, hatte aber bald genug vom gestrengen Onkel und kaufte sich eine Fahrkarte nach New York.

»Fahr nur in dein Verderben!«, rief der Onkel ihr nach.

Sie kannte niemanden in New York. Sie hatte nur ein paar Empfehlungen an andere, früher Ausgewanderte, die aber alle bloß mit ihr schlafen wollten. Einer von ihnen war wirklich gemein. Als er sie nach vergeblichen Verführungsversuchen im Auto nach Hause fuhr, lieferte er sie vor einer Mülltonne ab und sagte: »Da gehörst du hin, du hast es nicht besser verdient.«

Ein anderer liebte sie dafür wirklich, stellte sie sogar seiner Mutter vor und hätte Alma auch geheiratet, aber Alma konnte ihn nicht ausstehen. Es ekelte sie vor dicken alten Männern. Es ekelte sie überhaupt vor den meisten Männern. Das Pfui der Mutter hatte in ihr die erfolgreichsten Wurzeln geschlagen. Trotzdem wurde sie oft von arger Sexnot geplagt, und wenn ihr ein Mann gefiel, war ihre kräftige Natur um vieles stärker als das Pfui.

Alma wollte keine Kompromisse schließen. Sie würde schon durchkommen, dachte sie. Schließlich war sie im Land der unbegrenzten Möglichkeiten. Kellnerin beim

Onkel erschien ihr keine Möglichkeit. Ein alter Mann erst recht nicht.

Zuerst fand sie Arbeit in einem der unzähligen Warenhäuser, fiel aber bei einer Modenschau buchstäblich aus dem Rahmen, durch den die Mannequins in den Vorführraum steigen mußten, und stellte sich überhaupt recht ungeschickt an. Auch war ihr unerträglich heiß, denn man ließ sie nur Pelzmäntel vorführen. Für Kleider müsse sie abnehmen, sagte man ihr, nur Salatblätter essen. Aber Alma aß nicht gern Salatblätter, sondern lieber Kuchen, also war an Abnehmen nicht zu denken. Sie versuchte sich darum als Fotomodell – Kopf und Beine, was ganz gut ging und ihr Spaß machte. Nur gab es nicht viel Arbeit. Die salatessende Konkurrenz war auch dort zu groß, die schönen Mädchen saßen in den Agenturen wie in einem überfüllten Eisenbahnabteil.

Um etwas mehr Geld zu verdienen, machte Alma am Abend noch zusätzlich Babysitting. Nachts schlich sie müde nach Hause in ihr Elendsviertel, wo neben der Mülltonne ein alter Mann in einem zerbrochenen Sessel wachte und zornig mit einem schwarzen Regenschirm um sich haute, wenn einer ins Haus wollte. »Er muß verrückt geworden sein von dem Elend hier«, dachte Alma und hüpfte zur Seite, damit er sie mit dem Schirm nicht traf.

Eine Weile ging es Alma sehr schlecht, und sie war verzagt genug, um an einen anderen Onkel zu schreiben. Dieser Onkel war einmal zu Besuch in Deutschland gewesen, als die Zeiten noch gut waren. Der Vater hatte damals den Onkel fürstlich bewirtet. Der Onkel war sehr reich, er stellte in Cleveland Armee-Unterwäsche her, aber er war schon unendlich alt und ziemlich vertrocknet. Trotzdem ließ er sich nach New York fahren, um neben seinen Geschäften Alma zu besichtigen.

Der reiche Onkel aus Cleveland sagte das gleiche wie der arme Onkel aus Rochester: »Du mußt von der Pike auf anfangen...«

Alma dachte, sie sei zu Besserem geboren als zu dieser Pike-Geschichte. Der reiche Onkel besorgte ihr eine Arbeit in einem der vielen Warenhäuser, deren Präsident sein jüngster Sohn Herbert war, und sagte, dort könne sie sich eines Tages mit dessen Protektion zur Direktorin hocharbeiten. Alma faßte aber statt dessen eine unglückliche Liebe zu Herbert, verbrachte auch viele Nächte mit ihm in einem eleganten Hotel, bis Herberts Frau von dieser Liebe erfuhr und darauf bestand, Alma aus dem Warenhaus zu entlassen.

Herbert unterstützte Alma noch heimlich weiter mit 60 Dollar im Monat. Von ihrem ersten Scheck kaufte sie sich einen kleinen Pudel als Trost gegen Sehnsucht und Heimweh.

Das Hündchen schiß und pinkelte eifrig ihre Wohnung voll, aber Alma machte gern alles sauber, wenn sie abends nach irgendeiner neuen Arbeit müde nach Hause kam. Des Nachts umschlang sie fest das liebe Tier und weinte in sein Fell.

Im Sommer setzte sie sich manchmal die ganze Nacht mit dem Hündchen hinaus auf die Feuerleiter, denn die billige Wohnung, die eigentlich mehr ein langer Korridor war, war unerträglich heiß. Das Viertel wurde zu Recht Höllenküche genannt, selbst in der Hölle konnte es nicht schlimmer brodeln und dampfen als dort. Die Luft war eine grausam stinkende, klebrige Flüssigkeit, in der Almas Mut langsam erstickte, und oft dachte sie, diese

Höllenküche sei bereits das Verderben, das der Onkel Abraham ihr an den Hals gewünscht hatte.

Dann, nach ziemlich langer Zeit, hatte Alma Glück. Sie fand eine Stelle als Sprechstundenhilfe bei einem freundlichen, herzensguten Arzt, konnte endlich in eine bessere Wohnung ziehen und mit dem Hündchen am Abend im Central-Park spazierengehen. Allerdings hielt das Glück nicht an. Almas Topf hatte wieder ein Loch. Sie hatte sich mit ihrer Untergangsmaschinennase nicht den richtigen Arzt ausgesucht, sondern in ganz New York den einzigen gefunden, der in eine Abtreibungsaffäre mit Todesfall verwickelt wurde. An einem feuchtnebeligen Novembermorgen, den Alma ihr Leben lang nicht vergaß, wurden sie und der Arzt von der Kriminalpolizei abgeholt und auf grobe Art in ein Auto gestoßen, so wie man es in Filmen sieht, und nach langer, stummer Fahrt hielt das Auto vor einem Gebäude, auf dem in fürchterlichen Lettern HOMICIDE COURT geschrieben stand.

Ein endloser Prozeß fing an, in dem Alma die einzige Entlastungszeugin des guten Arztes war. Das aber nützte ihm nicht viel, denn er wurde zu zwanzig Jahren Zuchthaus verurteilt.

Es wurde sehr viel Aufhebens um den Fall gemacht, die Zeitungen brachten nicht nur von dem Arzt, sondern auch von Alma Fotos mit gehässigen Unterschriften, und so wurde sie zur Schande für die Onkel und für Herbert, der ihr sofort die 60 Dollar entzog.

Alles in Alma lehnte sich auf gegen die Ungerechtigkeit, gegen diese Kreuzigung des Arztes, der für sie unschuldig war. Und zu dem Leid, das sie um den armen Mann in seinem Gefängnis empfand, sollte noch ein viel schlimmeres Leid kommen: Irgend jemand vergiftete ihren geliebten kleinen Pudel. Alma wurde fast verrückt vor Schmerz. Sie ertrug ihre vier Wände nicht mehr, in denen sie das kleine Tier so qualvoll hatte sterben sehen, und irrte tagelang ziellos in der Stadt umher. Sie lief und lief, ein winziger Punkt, ein Niemand mit Kummer zwischen den zahllosen Niemands, die Alma alle von unsichtbaren Geistern gejagt erschienen und die ihre Augen starr auf ein fernes goldenes Kalb gerichtet hatten. Keiner bemerkte Almas Kummer, alle rasten an ihr vorbei. Und neben ihr gossen sich die Autos wie Lava auf die breite Straße: eine Höllenlärmkatastrophe, aus der es kein Entkommen gab.

Aber Alma, so gestoßen, so mitgerissen von der hetzenden Menge, beschloß doch zu entkommen. Sie wollte weg, hinaus aus diesem Wahnsinn. Es hielt sie nichts mehr in den durchlöcherten, himmelhohen Felsen, wo ein riesiger Vogel auf seinen schwarzen Eiern brütete. »Hinter jedem Fenster hockt dort das Übel«, dachte sie und heulte wieder um ihren kleinen Pudel, »ich muß woandershin, sonst sterbe ich.«

Und so kam es, daß Alma in den Westen reiste.

Einmal hatte ein Fotograf zu ihr gesagt: »Mit Ihrem Gesicht sollten Sie nach Hollywood«, und er hatte ihr eine Adresse von Freunden gegeben für den Fall, daß sie irgendwann hingehen würde.

»Mein Gott, der schickt uns jede Woche jemanden«, klagten die Leute, als Alma ihnen plötzlich vor der Tür stand und den Namen des Fotografen nannte.

Zum Glück waren es mitleidige Leute. Alma schaute so verloren aus, daß sie sie wirklich aufnahmen und sogar liebgewannen. John, der Mann, war Maler, Betty, die Frau, hatte eine Vertretung für Vitaminkapseln. Geld hatten sie keines. Alma verkaufte mit Betty die Vitaminkapseln von Tür zu Tür, nebenbei half sie im Haus.

Sie fühlte sich in Kalifornien viel wohler als in New York, obgleich Heimweh und Kummer weiternagten. Aber wenigstens war das Wetter immer schön, das Meer blau und weit, alle Menschen waren freundlich, die Zitronen und Goldorangen glühten tatsächlich im dunklen Laub wie in den Gedichten, nur die Vitaminkapseln von Tür zu Tür langweilten sie. Wo sie nun einmal bis Hollywood gekommen war, wollte sie auch zum Film, so wie es der Fotograf geraten hatte. Filmen erschien ihr eine bessere und einfachere Möglichkeit, Geld zu verdienen, als alles, was sie bisher getan hatte in diesem Amerika, in das sie so brutal hineingezwungen worden war. Der Gedanke, daß sie als Schauspielerin vielleicht Talent brauche, belastete sie nicht.

»Was die da können, das kann ich schon lange«, sagte sie und heftete sich mit zäher Geduld an die Fersen eines Agenten, der sie auch tatsächlich, wohl um sie endlich loszuwerden, in einem Film unterbrachte.

Alma fand die neue Tätigkeit großartig. Bloß konnte sie sich schwer an die Kamera gewöhnen und wurde jedesmal zu Stein, wenn man sie auf sie richtete. Zwar fotografierte sie sich ausnehmend gut, aber sie war ebenso ausnehmend steif, und keine Engelszungen konnten irgendeine Bewegung in sie hineinbringen. So wurde Alma, die vielleicht manche Chance gehabt hätte, kein großer Star, sondern brachte es in der Darstellung nur zu Krankenschwestern, Sekretärinnen oder untergeordneten Verfolgten. Selbstverständlich wußte sie nicht, daß die

Gründe, warum sie keine Chance hatte, ein großer Star zu werden, in ihr selbst lagen. Es waren höchstens die Umstände, die sie daran hinderten.

Umstände gab es damals während des Krieges genug, um alle möglichen Hindernisse heraufzubeschwören und um Almas verschiedene »Wenn aber« eintreffen zu lassen. Denn das »Wenn aber« hatte Alma nie verlassen. Es blühte unter den heißen Lampen der Ateliers besonders prächtig, wirkte geradezu zersetzend, stellte sich auf Kriegsfuß mit so manchem, was im Wunderland einfach nicht geschehen durfte. Das »Wenn aber« war wie eine Art Krebs, von dem Alma aber, bis es zu spät war, eigentlich bis sie tot war, nie etwas merkte.

»Wenn aber« störte auch ihr Erlebnis mit Tim Tilby, obwohl dieser selbst genug aufzuweisen hatte, um seine Unternehmungen zum Scheitern zu bringen.

Tim Tilby entdeckte Alma eines Tages für eine Hauptrolle in seinem Film, der niemals gedreht wurde. Aber für eine kurze Zeit schien es, als solle Alma doch noch Karriere machen.

Tim Tilby, Millionenerbe, fünfzig, groß, hager, elegant nach englischer Art, geizig, Junggeselle, leidenschaftlicher Masochist, hatte es sich in den Kopf gesetzt, eventuell durch ein Kunstwerk verewigt zu werden, konnte aber weder malen noch dichten, auch war er unmusikalisch und sah deshalb den Film als sein Medium an. Vor vielen Jahren hatte er eine Idee für einen Filmstoff gehabt, aber von allen Autoren, die er engagierte, um diesen Film zu schreiben, war keiner fähig, seiner Idee zufriedenstellend zu folgen. Er warf sie alle wieder hinaus, oder sie verließen ihn freiwillig, weil mit ihm kein

Auskommen war und er sie unterbezahlte. Als Alma zu ihm kam, hatten bereits dreiunddreißig junge, alte, berühmte und unbekannte Autoren versagt. Da es aber in Hollywood Autoren wie Sand am Meer gab und nicht ebensoviel Arbeit, fand Tim Tilby immer wieder neue. Es war ihm eigentlich gleichgültig, wie lange sein Vorhaben dauern würde, denn er fühlte sich im Unfertigen, im Planen sicherer, wußte vielleicht auch, daß er nie wieder eine andere Idee haben würde und war ganz zufrieden, diese eine ewig hinauszuschieben.

Tim Tilby hatte fast ebensoviele Freundinnen wie Drehbuchautoren, die es alle auf sein Geld abgesehen hatten, nie etwas davon sahen, ihn auch nicht sonderlich interessierten. Sie waren viel zu leicht zu erobern und entsprachen nie der Vorstellung, die er sich von seiner Filmheldin machte. Alma entsprach seiner Vorstellung. Vor allem, weil sie sich weigerte, mit ihm zu schlafen.

Tim Tilby wollte Alma unbedingt besitzen und griff mit Hilfe des Agenten zu einer List. Er leistete sich Alma, er gab Geld aus, nahm sie unter Vertrag, kaufte sie billig ein, wie seine vielen Ausverkaufsartikel, die er in Schubladen hortete.

Alma traute Tim Tilby nicht. Trotzdem war die Aussicht auf eine Hauptrolle verlockend, und das regelmäßige Einkommen, auch wenn es nicht allzu groß war, ermöglichte ihr und Betty endlich, die Vitaminkapseln, bei denen sie zwischen Filmrollen immer wieder gelandet war, zu vergessen.

Sie wehrte sich monatelang tapfer und schlief nicht mit Tim Tilby, obwohl er sie wie ein Verrückter bedrängte. Allenfalls durfte er ihr manchmal zuschauen, wenn sie sich selbst befriedigte.

Dann drohte er einmal, den Vertrag zu brechen, und sie ergab sich ihm endlich, aber mit solchem Widerwillen, daß Tim Tilby, der Masochist, sie immer leidenschaftlicher liebte. Er ließ von Alma ebensowenig ab wie von seinem Filmvorhaben, sperrte sie sogar drei Tage in einen Turm, weil sie es gewagt hatte, mit einem anderen Filmproduzenten auszugehen, und zeterte draußen vor der Tür, er würde sich ihretwegen töten.

Mit der Zeit fing Alma an, einen eigenartig perversen Kitzel bei seinem Gezeter zu empfinden. Daß er gar so wild nach ihr war, fand sie widerlich und erregend zugleich. Seine Qual rief in ihr eine Art Wollust hervor, und vielleicht waren es nicht nur die Vorzüge des Vertrags, die sie zwei volle Jahre bei ihm aushalten ließen. Letztlich retteten sie nur ihr »Wenn aber« und O'Hara aus dem Sumpf der sexuellen Verwicklungen. Das heißt, wenn man bei O'Hara von so etwas wie Rettung reden kann.

Als Alma O'Hara zum erstenmal sah, erging es ihr, wie es einer Stecknadel mit einem Magneten ergeht – sie klebte fest. Sie erlebte zum ersten- und zum letztenmal in ihrem Leben die Liebe auf den ersten Blick.

O'Hara hatte seidiges schwarzes Haar und erinnerte sie an Rudolfo Valentino, nur schien er ihr viel schöner. Er erschien ihr überhaupt schöner als alle anderen Menschen, was nicht ganz den Tatsachen entsprach. Aber da plötzliche Liebe mit nichts zu erklären ist und nur zu vergleichen mit einer fürchterlichen Krankheit, die einem die Gegenstände nicht mehr so zeigt, wie sie in Wirklichkeit sind, war O'Hara eben für Alma der schönste, anziehendste Mensch der Erde. In Wirklichkeit war er nicht nur nicht besonders schön, sondern auch sehr betrunken. Aber das merkte Alma in ihrer Verliebtheit nicht.

Ob O'Hara sich genauso schnell wie Alma verliebte, ist nicht sicher. Vielleicht wollte er zunächst nur Tim Tilby eins auswischen, als er Alma so eindringlich den Hof machte, denn er war einer von dessen Drehbuchautoren gewesen und konnte Tilby nicht ausstehen. Sicher ist, daß er Alma danach kurz wirklich liebte, und zwar mit jener einzigartigen Vehemenz und Überzeugungskraft, wie sie ernsthaften Trinkern oft für eine Weile gegeben ist.

Man konnte O'Hara übrigens manches vorwerfen, nur nicht die Unaufrichtigkeit seiner momentanen Gefühle, die allerdings aus einer anderen Welt kamen, aber an deren Dauerhaftigkeit er fest glaubte, so fest, daß er sogar auf schnellste Heirat drängte und dachte, er könne ein guter Ehemann werden. Er erzählte Alma Wunderdinge und machte die größten Pläne für eine herrliche Zukunft.

Alma war selig, sie sang den ganzen Tag. O'Hara ließ sie alles vergessen, selbst das Heimweh, ohne das sie bisher keinen Tag gewesen war. Die bösen Schatten wichen, und wo ein einziges Mal ihr »Wenn aber« hätte reden und sie warnen sollen, verstummte es vollkommen.

Für Alma kam das grausame Erwachen zunächst überhaupt nicht, für O'Hara aber um so schneller. Er trank und trank. In der ersten Zeit noch vor Begeisterung, dann ziemlich bald vor Schreck. Ungeheure Mengen Gin, die er, ohne daß Alma es jemals bemerkte, geschickt in Wasserflaschen umfüllte, mußte er in sich hineingießen, um den Schrecken hinunterzuspülen, den die plötzliche Gebundenheit – die glückliche Zweisamkeit von morgens bis abends – ihm einflößte.

O'Hara trank, aber Alma hatte auch einen Nachteil. Wenn sie liebte, liebte sie mit deutscher Gründlichkeit. Sie liebte viel zuviel, sie erdrückte O'Hara. Sie fraß O'Hara aus Liebe, so wie sie es von der guten Mutter gelernt hatte. Sie floß über vor Liebe, im Bett und in der Küche. Und der arme, vom Trinken geschwächte O'Hara konnte weder das Bett noch das Essen ganz bewältigen. So kam es, daß er nach sechs Wochen Sonnenschein durch das einzige Loch, das er in seinem neuen, so heimeligen Nest finden konnte, in den Krieg entfloh.

Alma ahnte noch nichts Böses. Auch kehrte O'Hara ziemlich bald zurück, mit einem angeschossenen Fuß und einem Sack voll ungeöffneter Briefe von Alma und seiner Mutter.

Dann verschwand er zum zweitenmal, diesmal für immer, zeugte aber vorher noch Johnny. Er käme gleich wieder, sagte er beim Abschied, müsse nur mal eben nach London wegen eines Drehbuches.

Alma war mit dem werdenden Johnny beschäftigt, der ihr allmorgendlich große Übelkeit bescherte. Sie dachte immer noch nichts Böses, was O'Hara betraf. Dann aber, als zwei Monate ohne jede Nachricht von ihm vergangen waren, wuchs die Angst in ihr weitaus schneller als das Kind.

O'Hara hatte keine Adresse hinterlassen, weil er ja gleich wiederkommen wollte, und Alma wußte nicht, wo und wie sie anfangen sollte, ihn zu suchen. Die Polizeistationen, die sie anrief, versicherten ihr, daß jeder Unfall, jeder Tod auf dieser ordentlichen Welt gemeldet würden und sie es also erfahren müßte, wenn O'Hara etwas passiert sei. Nicht, daß Alma O'Hara Schlimmes gewünscht hätte, aber ein Todesfall schien ihr allmählich wohltuender als die entsetzliche Befürchtung, O'Hara sei vielleicht nur ein Schurke, der sie ganz einfach verlassen habe.

Der dumpfe Schmerz des Nichtbegreifens begann, sie in seiner Ungeheuerlichkeit zu besetzen. Trotzdem klammerte sie sich lange noch an die Möglichkeit eines Mißverständnisses. Jedesmal, wenn sie das Summgeräusch des nach oben fahrenden Aufzugs hörte, fuhr in ihr die Hoffnung auch wieder hoch: »Jetzt kommt O'Hara. Jetzt wird alles aufgeklärt, alles wieder gut.«

Wenn der Aufzug wirklich auf ihrer Etage anhielt, stockte ihr Herz. Ihr wurde schlecht vor Erwartung, sie bekam Ohrensausen, Hitzewellen, Ohnmachtsgefühle. Dann, mit den Schritten, die an ihrer Tür vorbeigingen, durchfuhr sie wieder die stechende Eiseskälte der Enttäuschung.

Sie schlief nicht mehr, sie weinte und weinte.

»Es kann doch nicht wahr sein«, dachte sie. »Er kann doch nicht einfach verschwinden, er muß tot sein. Irgendwo liegt er tot, und niemand findet ihn.«

Unaufhörlich schob sie ein paar Sätze in ihrem Innern hin und her, wie ein Weberschiffchen durch die Fäden ihres Herzens: »Ich kann nicht leben ohne dich«, hatte O'Hara gesagt. »Ich will auch gar nicht leben ohne dich. Ich freue mich auf jeden Tag, auf jede Nacht mit dir. Ich freue mich sogar darauf, mit dir alt zu werden. Sei ruhig und glücklich, denn auf der weiten Welt gibt es keine größere Liebe als meine Liebe zu dir.« Auf den Knien hatte er vor ihr gelegen und geweint über seine große

Liebe. Und wo sollte sie denn anders hingegangen sein, diese große Liebe, als nur in den Tod?

Mit der Zeit ertrug Alma die Wohnung allein nicht mehr. Sie flüchtete wieder zu Betty und John. Einmal nahm sie in ihrer Verzweiflung mitten in der Nacht ein Taxi und fuhr zu Tim Tilby. Sie schlief zu seinem freudigen Erstaunen wie nie zuvor mit ihm, aber als er merkte, daß sie Johnny im Bauch hatte, warf er sie hinaus.

Ohne Betty und John wäre Alma vor die Hunde gegangen. Sie ließ sich gehen, lag reglos auf ihrem Bett und starrte in eine Ecke.

John glaubte nicht an O'Haras Tod. Er machte ernsthafte Nachforschungen überall, wo O'Hara hätte arbeiten können, und spürte ihn tatsächlich bei einer Zeitung in New York auf, stieg in ein Flugzeug und stand plötzlich in O'Haras Büro.

O'Hara tat, als ob er die ganze Zeit auf John gewartet habe, umarmte ihn freudig, ging sofort mit ihm in eine Bar. Dort flößte er ihm acht Martinis ein, zog aus seiner Tasche den zerknitterten Plan eines Hauses mit eingezeichnetem Kinderzimmer für Johnny, überzeugte John unter Tränen von seiner Liebe zu Alma und von seinen guten Absichten, schwor, Alma und Johnny nach New York zu holen. John ließ nicht locker, obwohl er mit den acht Martinis im Kopf auch nicht mehr ganz klar war, folgte O'Hara bis zu dessen Bleibe und mußte feststellen, daß er mit einer ziemlich schmutzigen Malerin zusammenlebte, die genauso eifrig trank wie er.

O'Hara wies mit dem Kopf auf seine Freundin: »Das hat mit mir und Alma gar nichts zu tun«, sagte er zu John. »Als Mann wirst du so etwas doch verstehen. Francis hat selbst den Plan für das Haus gezeichnet und weiß alles.«

»Ja, ja«, nickte Francis, die Malerin. »Ich sorge schon dafür, daß er seine Familie nach New York holt.«

John fuhr mit gemischten Gefühlen nach Hollywood zurück und brachte Alma die Nachrichten, verschwieg aber die Malerin. Alma hoffte wieder ein Weilchen, aber es geschah dann nie mehr etwas. O'Hara blieb unauffindbar. Bei der Zeitung hatte man ihn wegen Trunksucht entlassen. Die Malerin war auch verschollen.

Alma kehrte zu den Eltern nach Deutschland zurück und war vor Kummer dem Wahnsinn recht nahe. Fast ein Jahr lang brachte sie es kaum fertig aufzustehen. Die Mutter mußte sie mit Gewalt aus dem Bett zerren, von dem aus Alma dann aber nur wieder in den nächsten Sessel sank, um weiter vor sich hinzustarren.

»Was soll aus deinem armen Kind werden, wenn du dich so hängen läßt«, hatte die Mutter immer wieder geschimpft. »*Traurigkeit heilt keine Not.* Wie kann man nur so leiden um einen Mann! Der Schuft ist keine Träne wert. Wenn einer schon die Briefe seiner Mutter nicht aufmacht – von deinen ganz zu schweigen –, allein daran hättest du merken müssen, was das für ein Schuft ist, ein Irrsinniger, ein Säufer.«

Alma hörte die Mutter nicht. Keine Stimme durchdrang den dichten Nebel, in dem sie saß.

Bis sie eines Tages aus ihrem Koma erwachte, sich erhob, als sei nichts passiert. So vollkommen, wie sie von O'Hara besetzt gewesen war, so vollkommen war sie plötzlich von ihm geheilt.

Ohne Übergang verlagerte sie alle Energie, die sie zum Leiden verwendet hatte, auf ihre Untergangsmaschine und auf das Reiten, ab und zu noch auf Johnny. Auf langen, einsamen Ritten durch den Hessenwald stärkte sie ihr Selbstbewußtsein. Sie würde fortan allein fertig werden in dieser Welt der Männerschurken, sie würde nie mehr auf einen von ihnen hereinfallen. Von nun an stellte sie »Wenn aber« um sich herum auf wie einen Lattenzaun.

Trotzdem wurde ihr befreites Herz noch einmal rückfällig, indem sie sich in eine heimliche Liebe oder Besessenheit zu Duke verbohrte.

Kurz, nachdem Alma von ihrem Leiden um O'Hara wiederauferstanden war, hatte der Vater seinen Geschäftsfreund Rudi Herzog, der dann später Duke genannt wurde, was ich bereits am Anfang von Almas Geschichte erzählte, für ein Wochenende zur Jagd eingeladen. Von diesem Wochenende an war Duke für viele Jahre Mittelpunkt der ganzen Familie. Aber Almas heimliche Liebe zu ihm begann erst nach dem Tod des Vaters. Zunächst wurde Duke nur von ihr und der Mutter verehrt und vom Vater geliebt wie ein Sohn.

Der Vater konnte mit Duke alles unternehmen, wozu die Frauen nicht taugten: jagen, trinken, Schach spielen, dicke Zigarren rauchen, Erlebnisse austauschen, Witze erzählen und sonstiges mehr. Nichts hätte er sich sehnlicher gewünscht, als daß Duke, der Witwer war und Ersatz für seine so früh Verstorbene suchte, sein Schwiegersohn geworden wäre. Duke hätte für den Vater gern alles getan, denn für niemanden empfand er mit der Zeit eine tiefere Freundschaft, nur seine Töchter wollte er wirklich nicht. Außer einer gewissen menschlichen Anteilnahme konnte er beim besten Willen keinerlei Interesse für Alma aufbringen, im Gegenteil, er fand sie sogar recht seltsam und neigte dazu, mit O'Hara zu sympathisieren, der vor ihr so schnell die Flucht ergriffen hatte. Auch Johanna fand er eigenartig, eine Traumtänzerin, wie er sagte. Nur die Puppe schien ihm vernünftig, aber die war ja schon verheiratet, wenn auch mit einem etwas absonderlichen Partner.

Duke war ein mittelgroßer, stattlich schöner, blonder Mann, etwas plump, phlegmatisch, neigte zu deutscher Schwere, seelisch und körperlich, und zog wahrscheinlich deshalb die sitzende Haltung vor. Er saß am liebsten in einem bequemen Sessel und ließ sich verwöhnen. Sein rundes Gesicht wirkte stets wie frisch poliert, es hatte den rosarotleuchtenden Glanz der Güte und des Erfolgs. Duke führte mit knapp 45 Jahren als Generaldirektor ein ziemlich großes Werk, und während der schönen Jahre, die er mit dem Vater verbrachte, blühten nicht nur die Freundschaft, sondern, durch seine Vermittlung, auch die Geschäfte des Vaters.

Nur starb der Vater allzubald. Sein müdes, von den im Hintergrund dieser Geschichte erwähnten Leiden verbrauchtes Herz hielt dem Leben nicht mehr lange stand und setzte eines Tages, gerade als er mit Duke zur Jagd aufbrechen wollte, plötzlich aus.

Duke trauerte um den guten, wunderbaren Freund wie um den eigenen Vater. Er ließ ihn zwischen hohen Tannen aufbahren und hielt selbst die Totenwache. Als letzte Ehrung schossen alle Jäger und Jägervereine der Gegend über das Grab, und Duke blies zum ewigen Geleit traurig und laut ein Halali.

Duke fühlte sich dem Vater über den Tod hinaus verbunden. Er hatte es sich zur Pflicht gemacht, den Hinterbliebenen beizustehen. Er sorgte dafür, daß der kleinen, vom Vater hinterlassenen Firma regelmäßig Aufträge zugeschoben wurden, so wie etwa ein edelgesinnter Supermarktkönig dafür sorgt, daß dem kleinen Krämer an der Ecke auch noch manchmal ein paar Salatköpfe abgekauft werden. Die Hinterbliebenen revanchierten sich, indem sie Duke zu ihrem Lebensinhalt erhoben.

Allerdings konnte Duke nicht bewirken, daß ein bescheidener Geschäftsführer engagiert wurde, da Alma nach der Trauer der Unternehmungsgeist gepackt hatte. »Ich kann das allein!«, rief sie wie eine Kämpferin und kurbelte ihre Untergangsmaschine auf volle Touren.

Duke bremste geduldig und tapfer, aber manches Mal war es für ihn nicht leicht, gegen Almas Wahn anzukommen. Als dann langsam und heimlich die Liebe in Almas Busen zu wachsen begann, begann noch dazu ein gewisser Wettstreit. Alma wollte Duke beweisen, was sie konnte. Sie wickelte eigene Geschäfte hinter seinem Rükken ab, machte unsinnige Bestellungen und Einkäufe, redete mit den Geschäftsleuten aber anstatt von den Geschäften meistens nur von Duke oder vom Reiten, hörte auch bei Verhandlungen nicht richtig zu oder nickte sogar oft etwas ein, da sie stets übermüdet war vom nächtelangen Grübeln.

Die Untergangsmaschine ratterte und knatterte fröhlich und mutig über alle Hindernisse, und das Fähnlein »Ich kann alles« flatterte stolz im Wind. Mißlangen dann die Geschäfte, so war es niemals ihre Schuld, das war ganz klar. Es waren stets die anderen die Esel und Betrüger.

Ihre heimliche Liebe, in die sie sich verbohrte, war nicht erfolgreicher als ihre Geschäfte. Aber Alma war deshalb nicht unglücklich. Sie liebte in ihrer Vorstellung, die vielleicht besser war als die Wirklichkeit. Außerdem konnte sie die Hoffnung hegen, daß Duke doch noch eines Tages ihre großen Vorzüge sehen und ihre Liebe erwidern würde. Diese Hoffnung entnahm sie jedem noch so kleinen Zeichen: dem Lob ihrer Koch-, Back- und Reitkünste, der Bewunderung eines neuen Kleides oder Blumenarrangements, einem überlangen Händedruck, der aber in Wahrheit nur auf Dukes Phlegma zurückzuführen war. Alma war mit ihrem Zustand zufrieden. Auch konnte sie ihren Gefühlen gut Luft machen, indem sie fortwährend zur Mutter von Duke redete.

Es war damals, daß die Mutter riet, einen geheimen Namen zu erfinden, weil sie fürchtete, irgend jemand könne die Reden ihrer närrisch gewordenen Tochter belauschen. Sie kam mit Alma überein, Rudi Herzog fortan Duke oder auch Rallala zu nennen.

»Sag nicht immer Rudi, sag Rallala!«

So ging lange alles gut, bis Alma an einem Abend einen gewaltigen Überdruck gar nicht mehr los wurde und diesen mit Alkohol betäuben mußte. Sie goß eine Flasche Schnaps in sich hinein, warf sich dann quer über den ahnungslos im Sessel sitzenden Duke und gestand ihm laut ihre Liebe. Duke, halb erdrückt, blieb stumm erschüttert sitzen und blickte mit seinem nun glühend roten Gesicht vorwurfsvoll die Mutter an, die die wildgewordene Alma schließlich mit einer Ohrfeige zur Ruhe brachte.

Die Mutter sah nach diesem Auftritt sämtliche Felle davonschwimmen. Sie war vor Aufregung einem Gallenanfall nahe. Was, wenn Duke ihnen nun die Freundschaft kündigen und seine Hilfe entziehen würde?

Duke schien gefährlich angewidert von Alma, aber

letztlich taten ihm die beiden Frauen leid. Er besann sich darauf, ein guter Mensch zu sein und Verständnis für alle Irrungen und Wirrungen des Lebens zu haben. Und so sah er über die peinliche Liebesszene großzügig hinweg.

Seit dem Schnapsflaschentag und erst recht, als Duke kurz darauf wieder heiratete, machte Almas Liebe eine seltsame Wandlung durch. Man kann nicht sagen, daß sie in Haß umschlug, aber Alma bekam eine verbockte Einstellung zu Duke. Sie fing sogar an, ihn zu kritisieren und bei der Mutter seine Allherrlichkeit anzugreifen, was diese aber empört zurückwies.

Almas Wettstreit mit Duke wurde fortan grimmig.

»Was der kann, kann ich auch.«

Störrisch und besessen wollte sie ihm nun beweisen, daß sie ohne ihn fertigwerden könne. Es kam sogar so weit, saß sie ihm nicht einmal mehr richtig zuhörte, wenn er sie über geschäftliche Irrtümer belehren wollte. Hatte sie vorher jedes Wort von ihm für die Offenbarung Gottes gehalten, so legte sie seit der Wandlung ihrer Gefühle mißtrauisch den Kopf schief, wenn er redete. Sie ließ gelangweilt die großen Augenlider herunterfallen, als kämpfe sie gegen eine überwältigende Müdigkeit an oder als wolle sie schnellstens das Zeitliche segnen. Ab und zu kam noch ein langgezogener Quakton aus ihr heraus, der wie ein ungeduldig zustimmendes »Ja-ja« klingen mochte, aber eigentlich bedeutete: Sei doch endlich ruhig, ich brauche keinen Rat mehr.

Duke merkte wohl, daß Alma nicht richtig zuhörte, aber er nahm ihren Irrsinn gelassen hin. Er dachte weiter treu an den Vater, sah mit Sorge die Katastrophe kommen und machte sich ehrlich Gedanken, wie er sie weiter hinauszögern könne. Jahrelang stopfte er immer wieder geduldig die Löcher zu, die Almas Untergangsmaschine in ihr mißliches Geschäftsleben riß. Jahrelang versuchte er, sie zur Vernunft zu bringen, wenn er erschöpft von der Jagd nach Hause kam.

Er setzte sich zu dieser leidigen Aufgabe in einen bequemen Sessel, stöhnte und ließ etwas Luft ab. »Mann, oh Mann, was hab' ich für ein Theater mit euch am Hals«, sagte er, jedesmal wieder gerührt über seine Engelsgeduld mit den Wahnsinnsweibern.

Er zog die regennassen Schuhe aus, wärmte die Füße vor dem Kaminfeuer und ließ sich dabei von Mutter und Tochter Kaffee und Kuchen servieren. »Ach, iß doch nur ein kleines Stückchen Kuchen«, sagte Alma, anstatt ihm zuzuhören.

»Ach, iß doch noch ein kleines Stückchen,
schmeckt doch so lecker,
macht auch gar nicht dick,
noch so'n ganz kleines Fitzelchen, komm, iß doch«,
sagte sie.

Sie stand verträumt da, mit dem Messer in der Hand und schnitt an dem Kuchen herum, legte Duke ein Stück auf den Teller, aß selbst mehrere kleine Stücke, ohne Teller im Stehen, balancierte sie sich auf des Messers Schneide in den großen Mund. Manchmal fielen Krümel auf den Teppich, aber das beachtete sie nicht.

»Komm, iß noch ein kleines Stückchen,
ist gar nichts Schweres dran,
nur Luft,
schmeckt doch so lecker...«

Sie nahm wieder ein Fitzelchen auf das Messer und schob es sich in den Mund und so weiter, bis der Kuchen alle und Duke viel zu satt war, um noch reden zu können.

Manchmal sah sie Johnny O'Hara vor dem Fenster herumschleichen, wenn der Kuchen alle war. Dann fing sie, froh um diese neue Ablenkung, an, über Johnny zu jammern:

»Ach, der Johnny, wie der immer rumläuft, man muß sich richtig schämen...

sauberes Hemd anziehen,
Haare kämmen,
Nägel putzen,
was Vernünftiges arbeiten,
kein Interesse, nur bestußte Bücher...

und immer diese alten Turnschuhe, als ob er keine vernünftigen Schuhe hätte. Der ganze Schrank steht voll, mein ganzes Geld gebe ich aus. Sprich doch mal ein Machtwort, auf mich hört er ja nicht.«

Duke wollte kein Machtwort sprechen, obwohl er für die Macht war, denn in Johnnys Fall schienen ihm Hopfen und Malz verloren.

»Ich kann doch nicht in fünf Minuten gutmachen, was du in zwanzig Jahren verkehrt gemacht hast«, sagte er. Seiner Meinung nach hatte Alma nicht mehr Talent in der Erziehung ihres Sohnes gezeigt als im Geschäftemachen.

Trotz des Wandels der Gefühle redeten Alma und die Mutter kaum von etwas anderem als von Duke.

Die Mutter sorgte sich um sein leibliches Wohl: Wie war seine Laune gewesen beim letzten Besuch, wie hatte er ausgesehen, gut oder schlecht, was sollte gekocht und gebacken werden, wenn er wiederkam – Sahneschichtkuchen aß er am liebsten, nein Sachertorte, vorher Rebhühnchen mit Sauerkraut –, war Duke auch warm genug angezogen, wenn er sich bei der Kälte stundenlang im Wald auf den Hochsitz setzte.

Alma sorgte sich um sein Schicksal, das heißt um ihr Schicksal, und sagte:

»Wenn aber Duke was passiert...«

Sie sagte dies, als wolle sie heraufbeschwören, daß ihm etwas passieren möge, damit sie die Schuld auf die Umstände abwälzen und so die eigene Unschuld am kaum mehr zu übersehenden Untergang beweisen könne.

Übrigens passierte Duke nie etwas, nicht einmal der kleinste Unfall, das muß ich gleich sagen. Er blieb immer gesund und glücklich, hatte eine gute zweite Ehe, vorbildlich strebsame Kinder und so weiter. Es passierte nur, daß die Zeit die Erinnerung an den Vater immer weiter vor sich herschob, bis sie sie am Horizont fast ganz verschwinden ließ, es passierte, daß Duke nach zwanzig Jahren allmählich die Nase voll hatte von Almas Untergangsmaschine, und es passierte, daß er pensioniert wurde und sich überhaupt von allem, nicht nur von Almas Geschäften, zurückzog.

Aber noch war es nicht soweit. Noch biß sich Alma wie eine Zecke fest im Gemüt der anderen mit ihrem »Wenn aber«. Johnny floh vor ihrem Gerede zu seinen Büchern, die Mutter in ihr Bett. Aber Alma war unerbittlich. Sie folgte ihren Opfern bis ins Schlafzimmer. Spät in der Nacht stand sie oft wie ein Geist vor dem Bett der Mutter und sagte: »Wenn aber Duke was passiert...«

»Hör mir auf mit deinem ewigen ›Wenn aber‹«, stöhnte die Mutter jedesmal.

»Ich mein' ja nur«, sagte Alma, »du läßt mich ja nie ausreden. Ich will dir ja nur das Geschäftsproblem erklären, damit du weißt, was los ist, wenn Duke was passiert...«

Meistens vergaß sie aber einen Moment lang, was sie sagen wollte und starrte sich statt dessen im Spiegel an. Sie legte ihren Kopf prüfend fünf Zentimeter nach links, schnitt eine Grimasse, ob sie so wohl besser aussähe, die rechte Hand hielt sie unter ihren Busen, den Fuß tat sie einen Schritt vor. Dann legte sie den Kopf zwei Zentimeter zur anderen Seite, tat den Fuß zurück. Sie legte beide Hände auf die Hüften, zupfte an ihrem Pullover, als ob sie in einem Geschäft am Anprobieren sei. Ungefähr zwei Minuten stand sie danach unbeweglich versonnen da, legte sich dann plötzlich auf den Boden und fing an zu turnen. Sie radelte mit ihren Reiterbeinen in der Luft herum und sagte noch einmal: »Ich mein' ja nur...«

Ächzend und stöhnend versuchte sie vergebens, bei gegrätschten Beinen mit ihrem Kopf den Boden zu erreichen.

»Du mußt doch wissen, was wird, wenn Duke mal was passieren sollte«, sagte sie. »Du kennst das Geschäftsproblem ja überhaupt nicht. Ich will dir alles in Ruhe erklären, man braucht sich nicht immer gleich aufzuregen.«

Die Mutter regte sich aber auf.

»Mein Kopf, mein Kopf«, wimmerte sie, tat sich die Bettdecke bis an die Nase und stellte sich schlafend.

Alma war unbeirrbar, stand vom Boden auf, setzte sich auf die Bettkante, zog der Mutter die Bettdecke weg.

»Picasso«, sagte sie, »malte auch erst eine Kuh, mit tausend Haaren, und hinterher war nichts mehr an der Kuh dran, bloß noch ein Haar, und genauso will ich dir das Geschäftsproblem erklären.«

»Mein Kopf«, jammerte die Mutter, »ich versteh' ja doch nicht, was du mir sagst. Und mußt du es denn immer mitten in der Nacht tun, nimm doch mal Rücksicht, du bringst mich noch um.«

Alma wußte nicht, was das ist, Rücksicht. Sie verbohrte sich noch einmal in Picassos Kuh.

»Ich mein' ja nur, erst muß man weit ausholen und tausend Haare malen, bis man zu der einfachen Lösung kommt.«

»Aber du kommst ja nie zu einer Lösung mit deinen Erklärungen«, sagte die Mutter, stand umständlich und böse vor sich hin murmelnd aus dem Bett auf und warf Alma aus dem Zimmer. Dann schloß sie energisch die Tür zweimal mit dem Schlüssel ab. Alma lauerte draußen noch ein Weilchen, rief durchs Schlüsselloch:

»Ich mein' ja nur, dir kann man nie mal was in Ruhe erklären, immer regst du dich gleich auf...«

»Ich hör' nichts mehr, hab' Oropax im Ohr«, rief die Mutter.

Alma ging dann mißmutig die Treppe hinunter. Sie hatte Wut auf die Mutter. »Mit der kann man einfach nicht reden«, dachte sie, setzte sich ins Büro, kramte in alten Akten, versuchte, ein Problem zu lösen. Oder sie ging in die Küche zum Putzen, um ihren Zorn loszuwerden. Mit einem Messer kratzte sie umständlich den Dreck aus den Ecken. Sie fand ein Messer besser als Ajax, auf jeden Fall schwieriger, und warum sollte sie es sich leicht machen, dann hatte sie ja hinterher nichts zum Klagen.

Nach einer Weile ging sie wieder hinauf und lauschte noch einmal an der Tür der Mutter. Sie hörte, daß diese auf den Topf ging, um Pipi zu machen. Also mußte sie wach sein. Erfreut rüttelte sie an der Türklinke: »Mach doch mal auf«, rief sie, aber die Mutter antwortete nicht. Es war inzwischen mindestens zwei oder drei Uhr nachts. Alma legte sich resigniert auf ihr Bett und schlief sofort ein.

Kaum aber kam der Morgen und die Mutter hatte die Tür wieder geöffnet, um das Mädchen mit dem Frühstück hereinzulassen, stand Alma auch schon wieder am Fußende ihres Bettes. Sie hatte ein rosa Schleierchen auf dem Kopf über den Lockenwicklern und den Hintern in langen Wollunterhosen. Sie fing genau da an zu reden, wo sie in der Nacht aufgehört hatte. Sie gab niemals auf.

»Ich mein' ja nur«, sagte sie, »Picasso machte es auch erst kompliziert, bis er die ganz einfache Lösung fand. Darum muß ich dir auch erst alles in allen Einzelheiten erklären.«

Die Mutter vergrub sich in ihr Frühstück, schimpfte, daß die Brötchen nicht richtig aufgewärmt seien.

»Also, der Herr Langermann hat damals gesagt, die Bestellungen seien verbindlich«, fuhr Alma fort, »und ich habe ihm geglaubt. Und dann auf einmal heißt es, telefonische Bestellungen seien nicht verbindlich, und nun hatte ich aber doch die Klammerlaschen bestellt, weil der Langermann gesagt hatte, er nimmt sie mir ab...«

»Die Geschichte hast du mir schon hundertmal erzählt. Komm, nimm mir das Tablett ab und laß mich in Ruhe, ich will aufstehen«, sagte die Mutter.

»Ich mein' ja nur, laß mich dir doch wenigstens das eine noch erklären«, kreischte Alma mit dem Tablett in der Hand. Manchmal versuchte die Mutter, sich aus dem Zimmer zu stehlen, kam aber meistens nur bis zur Tür. Alma holte sie wie mit einem Lasso zurück zu ihren Erklärungen:

»Der Langermann hatte nämlich doch unrecht, ich hätte ihn verklagen sollen. So eine Unverschämtheit, einen so hineinzulegen. Im Lagerraum mußte man 14 Tage bei elektrischem Licht leben, weil die Klammerlaschen so hoch vor den Fenstern gestapelt waren.«

»Ja, und dann hast du sie für 'nen Appel und 'n Ei verschrottet, und wir waren wieder um Tausende ärmer.«

»Das war doch nicht meine Schuld«, sagte Alma unwirsch, »du verstehst das alles nicht und läßt mich nie ausreden. Außerdem hätte mir Duke, der doch immer so schlau sein will, ja auch mal sagen können, daß dieses Modell von Klammerlaschen gar nicht mehr gebraucht wird.«

Die Mutter erhob den Zeigefinger, machte ihre Prophetenmiene: »Sag nicht immer was gegen Duke. Säg den Ast nicht ab, auf dem wir sitzen.«

»Ich sag' ja gar nichts, ich mein' ja nur. Ich finde es nicht gut, daß wir nur von Dukes Gnaden abhängig sind.«

»Danke Gott auf den Knien für Duke!«

»Ja, ja«, sagte Alma ungeduldig, »wenn ihm aber was passiert, dann sitzen wir ganz schön in der Patsche. Du siehst es ja an Herrn Zimmermann, was war der für ein guter Kunde, wenn der am Leben geblieben wäre, hätte ich Duke gar nicht gebraucht, aber von einem Tag auf den anderen war er tot.«

»Ach, Quatsch«, sagte die Mutter, »Zimmermann hatte Krebs, Duke ist ganz gesund, was soll ihm schon passieren.« Sie hatte sich frei gemacht von Almas Lasso, ging schnell aus dem Zimmer, knallte fest die Tür zu.

»Sie muß immer das letzte Wort haben«, sagte Alma

kopfschüttelnd vor sich hin. »Zimmermann hatte keinen Krebs, Zimmermann starb an Herzinfarkt. Aber sie muß ja alles besser wissen.«

Gewöhnlich suchte Alma nach solcher Art unbefriedigender Unterhaltungen Johnny auf, um bei ihm Gehör zu finden. Johnny war zu der Zeit, als die Mutter behauptete, Zimmermann sei an Krebs gestorben, nur noch am Wochenende zu Hause. Außerdem war es neuerdings, auch wenn Johnny im Haus war, recht schwierig für sie geworden, mit Johnny zu reden, denn er wurde immer absonderlicher. Er war von klein auf störrisch und verschlossen gewesen, aber seitdem er nur noch diese hochgestochenen, ihr unverständlichen Bücher las oder Meditation machte, fand Alma ihn völlig unzugänglich.

»Er liest nur noch bestußte Bücher, aber mit seinem Studium kommt er nicht voran. Er habe Examensangst und Komplexe, behauptet er. Das redet er sich doch alles nur ein«, klagte sie. »Er leidet unter seiner Größe – mein Gott, so ein Unsinn! Soll er doch froh sein, daß er keinen Buckel hat! Ich kann nicht verstehen, wieso er so komisch geworden ist, man tut doch wirklich alles für ihn. Was der Junge schon für ein Geld gekostet hat, aber ich glaube, es wird nie was Gescheites aus ihm.«

»Ist ja auch kein Wunder bei deiner Erziehung«, sagte Duke. »Es fehlt eben an der Konsequenz. Dein Sohn hat nie eine starke Hand gespürt.«

»Ach was, starke Hand, wie habe ich den als Kind verprügelt, das hat doch alles nichts genützt! Und jetzt, seit er diesen Vogel mit dem Zen hat, ist's ganz aus. Man kann gar nicht mehr mit ihm reden.«

»Ihr hättet ihm den Brotkorb mal höher hängen sollen«, sagte Duke aus seinem bequemen Sessel heraus und zog gemächlich an seiner Zigarre. »Der ganzen Jugend heute geht's eben zu gut, die wissen nicht, was Arbeit ist, darum kommen sie auf dumme Gedanken! Dieser ganze abwegige Zen-Kram ist doch nur eine Flucht vor der Verantwortung.«

»Mir ist aber Zen lieber als Rauschgift«, verteidigte die Mutter Johnny.

»Da hast du recht«, sagte Alma. »Aber die Sache mit dem Zen ist mir trotzdem unheimlich. So stundenlang vor einer Wand sitzen, um seinen Nabel zu betrachten, was bringt das denn schon. In der Zeit könnte er doch was Vernünftiges tun. Es interessiert ihn ja nichts mehr, nicht mal mehr ein Mädchen, seit Ulrike ihm davongelaufen ist. Manchmal denke ich, er ist schwul. Nur noch Bücher und Meditieren, das ist nicht normal. Früher hatte er wenigstens noch seine Technik, da hoffte ich immer, er würde damit was anfangen, aber das hat er ja auch alles längst vergessen.«

Es ist wahr, daß Johnny, schon als Alma ihn aus Amerika mit nach Hause brachte, eine technische Begabung aufwies.

Johnnys Leben in Deutschland fing damit an, daß der Vater ihm ein kleines Dreirad schenkte, welches Johnny als Baby bereits völlig auseinanderzunehmen wußte, um dann die einzelnen Teile aus dem Fenster zu werfen. Der Vater, der damals dieses Dreirad unter großen Schwierigkeiten auf dem Schwarzmarkt erstanden hatte, wollte sich empören, aber Alma sagte nur müde: »Ach, laß ihn doch, er ist so schön ruhig.«

Schön ruhig war Johnny als kleines Kind wirklich

nicht gewesen. Er schrie und tobte und wurde dafür von Mutter und Großmutter gebührend gestraft und wenn er wieder artig war, mit Süßigkeiten und Freudentränen überschüttet.

Was Johnnys eigenartige Erziehung betraf, so mochte Duke mit seiner Behauptung, es habe von jeher an der Konsequenz gefehlt, sogar recht gehabt haben. Wenn Johnny ungezogen war, schlug Alma in ihrer Hilflosigkeit mit allem, was sie gerade in der Hand hielt, auf ihn ein: Kleiderbügel, Telefonhörer, Kochlöffel. Sie ließ die ärgsten Flüche auf ihn niederprasseln, brach aber dann sogleich über ihm zusammen und küßte ihn von oben bis unten ab. »Goldschätzchen, Truthähnchen, Herzblättchen, ich meine es ja nicht so...«

Die Mutter schlug Johnny selten. Sie blähte nur die Nasenflügel, riß die Augen auf, erhob den Zeigefinger: »Pfui, noch einmal, Freundchen, das schwör' ich dir, dann fliegst du raus.« Sie brach auch nie über ihm zusammen und strafte ihn länger als Alma, warb aber danach um ihn mit Geldscheinen: »Hier nimm, bist doch mein gutes Kind, mußt nur immer auf mich hören, deine Mutter ist zu jähzornig.«

Eingeklemmt zwischen Mutter und Großmutter schlug Johnny, so gut er konnte, Profit aus seiner Lage, fand sie aber widerlich, fand überhaupt sehr bald alles widerlich, selbst essen und trinken. Er zog sich mehr und mehr von den nörgelnden Weibern zurück und ging eigenbrödlerisch seiner technischen Begabung nach. Zunächst baute er kleine Bomben, wagte aber nicht, sie im eigenen Haus loszulassen, sondern ließ sie in oder vor dem Schulhaus explodieren, wenn ihn irgend etwas ganz besonders störte, wie einmal das Geigenspiel zweier Mitschüler. Da das Bombenlegen aber Johnnys einzige Leistung war, flog er aus allen Schulen raus und wurde endlich in einem Landschulheim untergebracht, dessen Leiter mit Geschenken von Alma bestochen worden war. Als es Johnny dort doch wieder gelang, ein Klo halbwegs in die Luft zu sprengen und dabei einen vorbildlichen Schüler zu verletzen, drang der Leiter darauf, Johnny zu einem Psychologen zu schicken.

Johnny wies neben Bombenbauen noch andere Eigenschaften auf. Er trug einen warmen Wintermantel im Sommer, wenn alle schwitzend in Hemdsärmeln herumliefen. Er weigerte sich, sich unter der Dusche auszuziehen oder überhaupt seinen Schwanz zu zeigen, denn als dieser ihm in der Badewanne im Beisein von Mutter und Großmutter zum erstenmal gestanden hatte, war Alma in kreischende Lachkrämpfe ausgebrochen, und die Mutter hatte so entsetzt Pfui geschrien, daß Johnny beschlossen hatte, dieses Ding nicht mehr vor anderen hervorzuholen.

Der Psychologe konnte nicht sehr viel ausrichten, die Mutter entriß ihm Johnny zu schnell wieder. »In meiner Familie ist keiner verrückt. Außerdem ist der Kerl schwul und will den Johnny nur verführen«, sagte sie.

Johnny war ein schöner Knabe, den manch einer gern hätte verführen wollen, wenn er nur irgend jemanden näher an sich hätte herangelassen. Aber Johnny wollte keinen direkten Kontakt mit der Menschheit. So baute er sich, als er gezwungen wurde, die Bomben aufzugeben, ein Funkgerät: Der Äther und die Ferne waren ihm geheurer als die Nähe. Er verzichtete auch bald darauf, noch viel mit Alma und der Mutter zu sprechen, er sagte dafür lieber einer Stimme in Tokio guten Morgen.

Johnny fand keinen Gefallen an dieser Welt. Vielleicht mochte es anderswo besser sein, dachte er, aber was er so um sich herum sah und hörte, gefiel ihm nicht, es störte ihn nur. Am meisten aber – und das war das Unerträglichste – störte ihn sein eigener Körper. Denn dieser wollte nicht aufhören zu wachsen und wuchs und wuchs, bis er ungefähr so hoch war wie ein Baum. Johnny konnte es nicht fassen, daß er ein Riese geworden war, obwohl ihm seine Größe nur Staunen und Bewunderung einbrachte. Er wollte nicht groß, sondern klein sein, und manchmal versuchte er, die völlig verständnislose Alma zu zwingen, ihn in einem Wagen herumzufahren, damit die Leute nicht merken sollten, wie groß er sei. Trotzdem wies er in dieser Angelegenheit eine seltsam hartnäckige Widersprüchlichkeit auf. Denn obwohl er seine Länge haßte – er maß nach Zentimetern einsachtundneunzig –, behauptete er, wenn man ihn nach seiner Größe fragte, er sei zwei Meter, und er feilschte um diese zwei Zentimeter, als seien sie sein kostbarster Besitz. Oft wollte Johnny gar nicht erst aus dem Bett aufstehen, keinen Fuß wollte er in diese feindliche Welt setzen, in der ihm nur wieder jemand sagen würde, er sei so wunderschön groß.

Oft aber war es auch das genaue Gegenteil, und es schien, als wolle er das Feuer seines Leidens geradezu schüren. An solchen Tagen lief er sehr weit, um seinen Komplex so richtig nähren zu können. Er suchte überall nach den Kleinen, möglichst nach den kleinen Dicken, auf deren Bewunderung er sich verlassen konnte. Kaum hatten aber die Ahnungslosen bewundernd gefragt, ob er schon wieder gewachsen sei, so befanden sie sich in echter Gefahr. Die Wut begann in Johnny fürchterlich zu brodeln, und er mußte fest an sich halten, um nicht einen von diesen guten Kleinen zu erschlagen.

Nachdem Johnny mit Hilfe von ungefähr zwanzig Nachhilfelehrern das Abitur endlich geschafft und sein Studium begonnen hatte, besaß er bereits alles, was man in der damaligen Gesellschaft besitzen konnte. Er hatte:

Realitätsverlust
Erwartungsverlust
Kontaktsperre
Isolationsgefühle
Haltlosigkeit
Impotenz
Erkenntnislosigkeit
Irritation
Sprachlosigkeit
Versachlichung
Entfremdung
Verweigerung
Beziehungslosigkeit
Trauer
Unlustgefühle
Ratlosigkeit
Sexualitätsfeindlichkeit
Schuldgefühle
Aggressionen
Verfolgungswahn

kurz und gut, er war unheimlich kaputt.

Es war aber damals Mode, unheimlich kaputt zu sein. Wenn einer von einem anderen sagte: »Der Junge ist unheimlich kaputt«, dann war das eine Würdigung, ein Lob. Aber der arme Johnny wußte auch mit diesem Lob nichts anzufangen.

Johnny litt sehr am Dasein, an der Ungeheuerlichkeit, an der Zumutung des Lebens im großen und ganzen, im einzelnen litt er unter dem Geschwätz von Mutter und Großmutter. Trost und Zuflucht fand er nur in seinen Büchern, denn nach einer größeren Panne beim Funken war Johnny der Technik müde geworden und hatte sein ganzes Interesse auf das Lesen verlegt. Bücher genügten ihm als Kontakt zur Wirklichkeit. Johnny träumte davon, unabhängig von seiner Familie zu sein, machte auch zwei oder drei hilflose Versuche in dieser Hinsicht. Letzten Endes fand er es dann aber doch einfacher, sich Almas Stöhnen über die Kosten seines miserablen und unnützen Daseins anzuhören, als an irgendeinem beschissenen Ort acht Stunden zu arbeiten, um sich sein Brot selbst zu verdienen.

»Alles endet sowieso in Unterdrückung«, dachte er nach seinen Niederlagen resigniert und nahm Alma etwas Geld aus dem Portemonnaie, um ein neues Buch zu kaufen.

»Mein ganzes Geld gibst du aus für diesen Quatsch«, jammerte Alma, »immer dieser moderne intellektuelle Kram, statt daß du mal was Vernünftiges kaufst.« Sie faßte die Bücher, die sich auf Johnnys Tisch häuften, mit spitzen Fingern an, als seien es gefährliche Spinnen oder ekelhafte Kröten. *Hand an sich legen*, *Diskurs über den Freitod*, *Selbstmörder durch die Gesellschaft*, *Der eindimensionale Mensch* – was soll denn das, ist ja ganz klar, daß du da anfängst zu spinnen bei solcher Lektüre. Es gibt schließlich Literatur, an der man sich erbauen kann, lies doch mal *Effie Briest*, das ist auch traurig, aber doch nicht so verrückt. Deine ganzen Probleme hast du dir nur angelesen mit diesem hochgestochenen, überkandidelten

Zeug. Wenn ich was zu sagen hätte, würden solche Bücher überhaupt verboten.«

»Rede doch nicht so einen Blödsinn, da wird einem ja übel«, sagte Johnny ärgerlich.

»Ich mein' ja nur«, lenkte Alma schnell ein.

Wenn sie merkte, daß sie irgendwo wirklichen Unwillen erregte, sagte sie immer: »Ich mein' ja nur.«

»Ich mein' ja nur,
ich mein' ja nur,
ich mein' ja nur und wenn aber —«

schrie Johnny zum Himmel.

Auch seine Mutter hätte er oft erschlagen mögen. Jedesmal, wenn er den leisesten Ansatz einer Hoffnung gehabt hatte, war Alma ihm dazwischengefahren mit ihrem »Wenn aber – ich mein' ja nur«.

Johnny konnte beim besten Willen für Alma die Gefühle, die er so gern für eine Mutter gehabt hätte, nicht aufbringen. Äußerlich hatte sie alles verloren, was ihm noch vage in der Erinnerung vorschwebte. Die Zeit hatte aus ihrem schönen Gesicht eine Art Runkelrübe gemacht, und aus ihrer schönen Seele konnte er auch wenig Erbauung schöpfen. Von gelegentlichen Zärtlichkeitsanfällen abgesehen, hörte er nur Vorwürfe:

»Kämm dir doch um Gottes Willen einmal die Haare – wie du herumläufst – immer diese alten Turnschuhe – das soll wohl modern sein – geh doch mal was arbeiten – leer mal den Abfalleimer aus – immer nur die Nase in bestußten Büchern – immer weißt du alles besser, wenn man dir mal was sagt – der kluge Herr, große Ideen, faul wie ein Schwein – mit deinem Studium wirst du wohl mit neunzig erst fertig – mir auf der Tasche liegen, aber in meinem Auto herumfahren und angeben...«

Johnny fand seine Mutter dumm, geschwätzig, überheblich, was ihre eigenen Fähigkeiten betraf. Er fand sie duckmäuserisch, die Großmutter fand er auch nicht besser. Das Arschgekrieche, das die beiden mit Duke betrieben, ging ihm auf die Nerven.

Johnny hing sein Leben zum Hals heraus. Er träumte, wie gesagt, von Unabhängigkeit, war aber verständlicherweise unfähig dazu, denn die Komplexe saßen allmählich so dicht wie Blattläuse auf ihm. Lange dachte er an einen erlösenden Freitod, wollte sich jedoch ungern allein umbringen und suchte ernsthaft nach einer Henriette Vogel.

Auf seiner Suche fand er aber nur das genaue Gegenteil. Er fand Ulrike, eine lebenslustige, ganz gesunde Gärtnerstochter, deren üppiger rosa Körper ihm für eine Weile alle finsteren Gedanken verscheuchte und auf ganz andere Art an den Himmel denken ließ. Nur kamen nach einer Weile die Angstzustände wie Krokodile aus dem Sumpf doch wieder hervorgekrochen, denn Ulrike weigerte sich, die Verhütungspille zu nehmen. Sie bekäme davon Krampfadern und würde fett, behauptete sie. Johnny aber konnte die Liebe nur völlig frei und ohne widerlichen Gummischutz genießen. So bekam er bald nach jedem Orgasmus langanhaltende Schweißausbrüche, weil er fürchtete, Ulrike könnte schwanger werden.

Außerdem wollte Ulrike wirklich ein Kind. Sie fing sogar an, Johnny mit diesem Wunsch zu bedrängen. Ein Kind sei die Lösung für seine unverständlichen Probleme. Über der Verantwortung würde er alle Spinnereien vergessen, sagte sie. Sie könnten gemeinsam einen Blumenladen aufmachen, und Johnny würde ein normaler

Mensch. Als Johnny mit der Zeit von diesem Ansinnen vor Schrecken impotent wurde, verlor Ulrike das Interesse an ihm, schimpfte ihn mit Recht einen elenden, hoffnungslos verlorenen Versager und verließ ihn.

Johnny hielt sie nicht. Er liebte Ulrike vielleicht, aber er wollte auf keinen Fall Vater werden. Er wußte ja nicht einmal, was das war, ein Vater. Als Kind war er oft hinter Duke hergeschlichen, wenn dieser zur Jagd ging, in der Hoffnung, daß Duke vielleicht ein Vater sei. Aber Duke hatte nie die rechte Geduld mit dem armen Johnny gehabt und dessen Hustenkrämpfe immer gehaßt. Johnny kannte keinen Vater und wollte kein Vater werden. Allein der Gedanke, sich selbst zu reproduzieren, war ihm unerträglich. So fiel er nach seinem Erlebnis mit Ulrike fast erleichtert zurück in seine Trauer und Isolation.

Schließlich fand Johnny den Weg des Heils im Zen. Das aber erst nach vielen weiteren, mühselig beladenen Jahren, in denen er mit Alma und der Mutter in ständig bescheidener werdende Häuser zog, ohnmächtig dem Untergang beiwohnte und manchmal sogar den Abfalleimer ausleerte. Einmal, vielleicht um der Mutter und Alma wirklich eine Freude zu machen, vielleicht aber auch, um selbst jemanden um sich herum zu haben, der wie er unschuldig zu unendlicher Größe aufwachsen würde, hatte er einen jungen Bernhardiner mit nach Hause gebracht. Alma war gerührt über das Geschenk.

»Er ist doch ein gutes Kind«, sagte sie.

»Gutes Kind«, zischte die Mutter, »ich glaube, er will mich umbringen mit diesem großen Hund. Diese Bestie ist ein Nagel zu meinem Sarg. Er weiß doch, daß ich viel lieber eine kleine Dackelhündin gehabt hätte. Muß er statt dessen so einen Riesen anbringen?«

»Ach, laß ihn doch«, sagte Alma.

»Ach, laß ihn doch, das sagst du auch noch, wenn er eines Tages Bankräuber wird oder einer von diesen entsetzlichen Flugzeugentführern.«

Johnny war natürlich weit davon entfernt, Flugzeugentführer oder Bankräuber zu werden, obwohl er nichts dagegen gehabt hätte, schon um sein Mißfallen an der Gesellschaft zu manifestieren. Aber ihm fehlte jegliche Energie zur Tat, und so führte ihn seine Suche nach dem Ausweg wohl letzten Endes in die Meditation. Er hatte viele Bücher über Zen gelesen und war in der Stadt einer Gruppe beigetreten, die Za Zen praktizierte. Er kaufte sich eine lange, dunkelbraune Kutte und ein dunkelbraunes Kissen und saß fortan auch zu Hause die meiste Zeit im Schneidersitz vor einer weißen Wand auf dem braunen Kissen und meditierte.

Zunächst schüttelten Alma wieder ihre heftigen Lachkrämpfe, als sie Johnny so dasitzen sah: »Nein, der Johnny, wie der aussieht in der Robe!« Aber dann verging ihr das Lachen.

»Was ist bloß los mit ihm«, sagte sie bestürzt. »Man kann gar nicht mehr an ihn ran, er sitzt nur noch da und starrt.«

»Ach, laß ihn doch«, sagte die Mutter. Denn wenn Alma dieses einmal nicht sagte, so sagte es ganz bestimmt die Mutter. »Er tut wenigstens nichts Unrechtes bei seinem Sitzen.«

»Wenn's aber schlimm endet, solche Sektengeschichten sind übel. Du hast doch neulich erst im Radio gehört, wie die sich alle umbringen«, sagte Alma.

»Zen ist keine Sekte«, sagte die Mutter, die über alles

sehr gut Bescheid wußte. Aber Alma blieb die Sache unheimlich. Obwohl ihr Johnny immer rätselhaft gewesen war, entglitt er ihrem Verständnis nun vollkommen. Sie tat ihr Bestes, um ihn aus der üblen Versenkung wieder herauszuholen. Bis Johnny die Idee hatte, seinen Tisch vor die Tür zu rücken, kam sie beständig in sein Zimmer, wenn er gerade meditierte. Mit einer Zigarette im Mund schob sie sich in sein Blickfeld und stieß ihn etwas an die Schulter:

»He, du, hör doch auf mit dem Unsinn oder erkläre mir mal, was du denkst, wenn du so dasitzt.«

»Nichts«, sagte Johnny. »Ich versuche, nichts zu denken.«

»Ist das denn nun ein Ziel im Leben, nichts zu denken?«

»Nichts ist alles, aber das verstehst du nicht.«

»Nein, das verstehe ich auch nicht. Nichts ist für mich nichts. Wo tust du denn mit nichts was für die Gemeinschaft?«

»Bevor man mit sich selbst nicht im klaren ist, kann man auch nichts für die Gemeinschaft tun.«

»Und durch dies Sitzen willst du dir wohl klarwerden?«

»Alle Wesen, ein Körper, versuche ich zu befreien«, sagte Johnny ungeduldig.

In Alma stieg die Wut hoch, die Wut auf das Ausgeschlossensein, auf etwas, was sie nicht teilen konnte.

»Hast wohl beim Autofahren meditiert, als du mir neulich den Kotflügel kaputtgefahren hast.«

Die Gefühlsbewegung brachte mehrere Zentimeter Asche zum Absturz.

»Hoppla«, sagte Alma, »und Jesus? Wieso ist dir das

Christentum nicht gut genug, wieso mußt du denn unbedingt so weit gehen. Der Buddhismus ist doch gar nicht für uns gemacht, der mag wohl für die armen Inder am Ganges was taugen, aber für uns doch nicht...«

»Den hohen Weg Buddhas gelobe ich zu erringen.« Johnny ließ sich auf keine Dummheiten ein. »Aber du hast ja keine Ahnung«, sagte er.

Manchmal, wenn Johnny ganz entrückt war, gingen Alma die Nerven einfach durch. Dann setzte sie sich auf sein Bett und fing furchtbar an zu weinen. Johnny konnte seine Mutter nicht weinen sehen. Er fand sie nicht ideal, aber er konnte sie nicht weinen sehen. Es drehte ihm die Eingeweide um. Trauer und Schuld überfielen ihn. Die Welt schien ihm noch absurder, als sie sowieso schon war. Er zog sich seine alten Turnschuhe an und rannte hinaus in den Wald, wenn Alma weinte.

Das große Haus hatten sie längst verkauft. Sie waren in ein kleineres gezogen, das sich nach kurzer Zeit auch wieder als zu groß herausstellte, dann in ein noch kleineres, und die letzte Station ihres Untergangs war ein erbärmliches Fertighaus, Typ Junior.

»Nein, so ein Abstieg«, jammerte die Mutter.

Almas Selbstverteidigung wurde zur Besessenheit. Sie redete und redete.

»Nur das eine noch, ich will bloß noch einmal was erklären, ich konnte doch nichts dafür«, kreischte sie. »Ihr versteht das ja alles ganz falsch, laßt mich doch endlich einmal ausreden.«

Picassos Kuh. Durch jede Ritze, unter allen Türen hervor, sickerte ihr Gerede. Johnny flüchtete bis nach Indien. Duke kam überhaupt nicht mehr oder nur noch einmal im Jahr mit seiner Familie. Die kleine Firma wurde im Handelsregister gelöscht. Alma und die Mutter lebten allein mit dem riesigen Hund Wilhelmine. Sie lebten etwas, was schlimmer und fester und eintöniger war als eine Ehe. Sie hatten Angst voreinander, aber sie liebten einander. Sie gingen beide den untersten Weg. Sie opferten sich auf füreinander. Sie drohten täglich, sich zu trennen. Sie waren sich selten einig, aber ohne einander konnten sie nicht sein.

»Ich ziehe in ein schönes Altersheim, da kann ich gut leben für meine Rente und muß mich nicht ärgern«, sagte die Mutter.

»Und ich ziehe zu meiner Freundin Mücke, was glaubst du, wie die sich freut«, sagte Alma.

»Aber ich kann dich armes Huhn doch nicht allein lassen, was willst du denn machen ohne mich«, sagte die Mutter, und Alma sagte: »Ich kann dich wackelige Alte ja nicht allein lassen, du wärst schön aufgeschmissen ohne mich.« Und die Mutter: »Wenn ich nicht immer den untersten Weg gehen würde, wäre kein Frieden im Haus.«

Waren sie dann beide den untersten Weg gegangen, aßen sie beruhigt ihren Kuchen. Das Essen wurde zum Tagesinhalt. Was soll heute gekocht werden? Entweder es schmeckte lecker, oder es schmeckte nicht. Ba pfui, so ein Zeug. So ein Zeug wie Spaghetti.

»Wo du doch weißt, daß ich nur Bandnudeln mag.« Alma gab die verschmähten Spaghetti dem Hund. Dann aber rief die Mutter entrüstet:

»Deiner Mutter hast du nichts übriggelassen.«

Sie sprach dies mit so einem Pathos aus, daß Alma sich vorkam wie ein Verurteilter, an dem kurz vor dem Exitus noch einmal das ganze traurige Leben vorbeirollt, das Leben mit der guten Mutter, die sie unter dem Herzen getragen hatte, der sie alles verdankte und der sie keine Spaghetti übriggelassen hatte.

Seit Duke pensioniert, kein Geld mehr da und Johnny weit weg in Indien war, hatte Alma nur noch wenige und auf jeden Fall geringe Anlässe, »Wenn aber« zu sagen. Dafür sagte sie immer häufiger, »Ich mein' ja nur«. Sie äußerte überhaupt ihre Meinung vorsichtig und auf Umwegen. Sie sagte nicht mehr: »Ich finde«, sondern sie sagte: »Frau Schmidt findet... Frau Schmidt findet, daß Mutter jüdisch aussieht«, was übersetzt hieß: »Ich finde, Mutter sieht jüdisch aus.«

Auf dem Markt hatte sie zu Weihnachten einen Tannenbaum erwischt, der fast keine Nadeln mehr hatte. Sie versuchte, die schimpfende Mutter zu überzeugen, daß der kahle Baum trotzdem schön sei. Mit schiefem Kopf stand sie bewundernd davor und sagte: »Frau Schmidt findet auch, daß der Baum schön ist.«

Frau Schmidt findet...

»Frau Schmidt findet, du siehst jüdisch aus, Frau Schmidt findet den neuen Läufer auch schön.«

»Der Läufer sieht ganz grauenhaft aus«, sagte die Mutter.

»Du läßt dich immer furchtbar beeinflussen.«

Die Mutter empörte sich: »Wie kannst du so etwas sagen, was fällt dir ein. Ich komme die Treppe herunter, und da sehe ich den Läufer, ich habe überhaupt niemanden gesehen, der mich hätte beeinflussen können, war ja ganz allein oben, während du dir den Läufer hast andrehen lassen.«

»Andrehen, du bist gut, ich hab's ja für dich getan, weil die Verkäufer sagten, sie seien Studenten aus Israel. Sie kamen an die Tür und sagten: ›Wir sind Juden, stört Sie das?‹ Als sie dann nicht auf ›Shalom‹ reagierten, kam mir die Sache gleich verdächtig vor. Aber sie sahen so ehrlich aus und brauchten Geld, und du sagst doch immer, man solle die Juden unterstützen. Also, ist ja auch egal, auf jeden Fall ist der Läufer schön, und Frau Schmidt findet das auch.«

»Der Läufer ist ganz grauenhaft, und du hast dich mal wieder beschummeln lassen, denn das Ding ist nicht echt, das sieht ein Blinder.«

»Du mußt immer meckern, anders geht's nicht. Ich möchte mal wissen, was ich von dir zu hören bekommen hätte, wenn ich Studenten aus Israel weggeschickt hätte.«

»Es waren ja keine Studenten aus Israel, Betrüger waren es.«

»Da kann ich doch nichts dafür, wenn Leute lügen!«

»Hör auf!«, sagte die Mutter. »Du weißt doch, daß mir mein Kopf so weh tut bei unangenehmen Gesprächen.«

»Mein Kopf, mein Hals, mein Bein, mein Fuß«, äffte Alma sie nach, »immer tut dir was weh, nie kann man mit dir reden, das soll einer aushalten.«

»Jawohl«, sagte die Mutter, »mir tut alles weh! Mein Bauch, sieh dir doch an, wie gebläht er ist, großer Gott, und die Beine, wie geschwollen, und geschrumpft bin ich, geschrumpft, früher war ich so schön groß.«

Dann erhob sie sich umständlich mit den wehen Beinen und ging zu Bett. Schlurf, schlurf, schlurf, päng, hörte Alma. Die Tür war fest zu hinter der Mutter, das Haus kaputt. Den schleppenden Gang hatte die Mutter übrigens nur, solange Alma sie beobachtete. Auf ihren täglichen Spaziergängen marschierte sie erstaunlich schnell und ganz aufrecht.

Der Tag – irgendein Tag, sie glichen sich alle, so wie sich Depardieus Tage glichen –, der Tag fing damit an, daß Alma zur Mutter sagte, sie solle mit dem weißen Käse auf der Decke bleiben, wegen des Kleckerns, der Tisch wäre zu empfindlich. Darauf sagte die Mutter: »Es ist wohl besser, ich ziehe woanders hin, wo ich weniger Unheil anrichte.«

Die Freude am weißen Käse war ihr vergangen. Sie stand vom Tisch auf und fing an, in den Schränken zu kramen.

»Mir fehlen sämtliche Handtaschen«, rief sie, »die kann nur Frau Mertz gestohlen haben.«

Frau Mertz, die alte, treue Putzfrau.

»Frau Mertz, die nach USA zu ihrer Tochter will, braucht eben Taschen für die Reise!«

»Als ob die mit deinen alten Taschen Staat einlegen könnte«, sagte Alma.

»Außerdem fehlt mir eine wundervolle Bibel«, sagte die Mutter. »Das war bestimmt Frau Nolte und keine andere.«

»Diese erzkatholische Frau soll deine evangelische Bibel entwendet haben?«

Schuhe fehlten der Mutter auch. Da Frau Nolte, die neue Putzfrau, aber eine ganz andere Schuhgröße hatte als die Mutter, hatte ganz sicher Frau Mertz die Schuhe für ihre Tochter gestohlen.

»Ich kann mir nicht vorstellen, daß eine junge, modebewußte Frau Schuhe von so einer Alten anziehen würde«, sagte Alma.

»So eine Alte, sieh dich mal selber an. Die meisten Leute wissen ja nicht mal, wer von uns beiden die Mutter und wer die Tochter ist«, giftete die Mutter. Ihre Behauptung stimmte allerdings, denn die zwanzig Jahre, die zwischen den beiden lagen, konnte man kaum feststellen.

Da die Mutter noch lange in den Schränken kramte, aßen sie spät zu Mittag. Die Mutter hatte ein neues Gebiß, das sehr gut aussah, mit dem sie aber nicht beißen konnte. Also entfernte sie das Gebiß vor dem Essen und wickelte es in eine Serviette, was sie sogleich wieder vergaß. So konnte sie nach dem Essen, als der Tisch abgeräumt wurde und die Serviette von Alma in die Schublade getan worden war, ihre Zähne nicht mehr finden. »Ich habe sie auf den Tisch gelegt, ich weiß das ganz genau. Du hast sie mit dem Abfall weggeworfen«, beschuldigte sie Alma und stülpte zornig die Abfalltonne aus, um vergebens in dem Müll nach den Zähnen zu suchen.

Das Leben von Alma und der Mutter war eintönig geworden, und außer den Greueltaten, die in der Welt geschahen, bewegte ihr Herz nur noch Kleinkram, eben weißer Käse oder gestohlene Schuhe. Irgendwo auf der langen Lebensbahn, ganz hinten im Nebel, stand O'Hara neben Hitler. Nur manchmal noch wurde die Mutter im Traum von den Schrecken der Verfolgung heimgesucht, wenn sie am Abend zu viel gegessen hatte. Duke und Johnny waren die letzte große Ablenkung für sie gewesen. Der Untergang von Alma und der Mutter war ja auch nicht der Untergang eines Ozeanriesen, sondern eher der eines Heringsbootes.

Als sie zuletzt in dem Fertighaus lebten, war ihnen nur noch der Tag wichtig. »Carpe diem«, sagten sie beide. Ihr ganzes Sein schoben sie mit einem saftigen Kalbsbraten in den Ofen, oder sie vergruben es in einem guten Kuchen. Am Abend nahmen sie dann Teil am großen Segen, der sich für Einsame oder Gelangweilte über die Menschheit ergossen hatte, aber erst nach dem Essen. Depardieus Sitte, während des Essens fernzusehen, fanden sie barbarisch. Wie konnte man denn mit Appetit sein Schnitzel verzehren, wenn einem dabei die traurigen Augen der halbverhungerten Vietnam-Kinder auf den Teller blickten.

Die Nachrichten mußte die Mutter stets pünktlich hören. Sie verfolgte alle Ereignisse mit großer innerer Anteilnahme, verlor sogar während der fürchterlichen Grausamkeiten im hohen Alter noch das rechte Vertrauen zum lieben Gott. Über Kambodscha war sie so entrüstet, daß sie Gott ganz verlassen wollte, wagte es dann aber doch nicht, weil sie ein Begräbnis ohne Pfarrer fürchtete.

Manchmal kam Besuch. Frau Schmidt kam, solange sie in der Nähe wohnte, sogar fast täglich, Johanna immer zu Festtagen. Dann kamen abwechselnd die Tanten, die aber alle schon sehr alt waren und von der Mutter als tüterig abgetan wurden.

»Du tüterst«, sagte die Mutter zur Tante Olga.

»Ja, mir ist aber so in Erinnerung, als ob der Alfred Krupp mal hier gejagt hätte.«

»Tüter nicht so ein dummes Zeug. Iß noch was. Wofür habe ich so schön gekocht.«

Die Tante Olga tüterte aber immer weiter, daß die Frau des Apothekers aus der Ostzone eigentlich gern nach Düsseldorf wollte, dann aber doch aufs Land zog, weil ihr Mann in gar so schlechten Heften sei. Und wenn sie gerade mal ruhig war, fragte die Mutter, die überhaupt nicht zugehört hatte: »Was?« Und alles ging von vorne los.

»Hör auf«, sagte die Mutter, »mein Kopf, meine Galle, Schmerzen habe ich, Schmerzen...«

Und Tante Olga, die schon ganz gelb war, ausgedörrt, wie aus dem Grab gezerrt, sagte:

»Du sieht aber aus wie das blühende Leben«, was die Mutter gar nicht gern hörte, obwohl es der Wahrheit entsprach. Also sagte sie der armen Olga wieder: »Tüter nicht so ein dummes Zeug.«

Onkel Nathan kam auch manchmal zu Besuch, um der Mutter die Fälschungen, die er damals dem Vater verkauft hatte, wieder zu entwenden, immer mit dem Versprechen, damit großes Geld zu machen, von dem die Mutter aber nie etwas sah.

»Uralt mußte ich werden, um zu begreifen, was ich da für einen Lumpen als Bruder habe«, sagte die Mutter. »Immer wieder habe ich mich von seinem Charme einwickeln lassen, immer wieder hat er mich betrogen. Aber jetzt ist Schluß.« Trotzdem fiel sie bis zu ihrem Tod weiter auf ihn herein, denn sie konnte ihm genausowenig widerstehen, wie er es lassen konnte, sie zu betrügen.

Jeder, der zu Besuch kam, wurde zunächst überfüttert, ganz so, wie es zu Dukes Zeiten gewesen war, als die Familie noch im großen Stil gelebt hatte. Die Mutter wollte gern auf vieles verzichten, nur nicht auf den Schein, und da sie das Fertighaus schlecht verheimlichen konnte, sollte der Besuch den Abstieg am Essen auf keinen Fall merken. War der Besuch dann einmal überfüttert, wurde er stets zu einem Spaziergang aufgefordert, auf dem er sich mitanhören mußte, wie schwer es für die eine war, mit der anderen zu leben.

»Sie ist eine Nervensäge«, sagte die Mutter, »darum ist ja auch Johnny weg. Und jetzt sitzt er dort unten in Indien, der arme Junge, und Gott weiß, ob er je wiederkommt, und hier wäre vielleicht doch noch was aus ihm geworden.«

Es gab nichts Traurigeres, als wenn die Mutter sagte, es hätte vielleicht doch noch etwas aus irgend jemandem werden können. Sie sagte: »Vielleicht wäre aus meinen Kindern doch noch etwas geworden, wenn sie nicht diesen entsetzlichen Kerlen in die Hände gefallen wären.« Sie wußte nicht, daß sie sie gefressen hatte und daß aus Gefressenen nichts werden kann, daß Gefressene sozusagen nicht mehr sind. Die meisten Fresser wissen nicht, was sie tun, darum wird ihnen wohl auch so leichtfertig vergeben.

Das Leben von Alma blieb armselig. Sie erlebte nichts mehr. Nur einmal, als sie noch im großen Haus wohnten, hatte sie ein ganz kurzes Verhältnis mit einem Reiter, schlief mit ihm ein paarmal im Wald, damit die Mutter und die Leute nichts davon merken sollten, denn der Reiter war verheiratet. Es war auch keine Liebe, die Alma bewegte, sondern nur eine sportliche Verbindung. Dem Reiter kam Alma gerade gelegen, weil seine Frau hochschwanger war, und Alma mußte einfach einmal wieder mit jemandem schlafen, sie wußte ja schon kaum mehr, wie das war. Aber außer diesem Reiter hatte Alma in all den vielen Jahren, die folgten, nie wieder einen Mann. Alma verdörrte einfach langsam, wie viele Frauen damals, als die Ungerechtigkeit noch herrschte und es den Männern so viel besser erging als den Frauen. Vor allem den alternden Frauen. Es war überhaupt zu der Zeit schwer, alt zu werden, davon erzählte ich ja schon. Aber für Frauen von Almas Generation war es nicht nur schwer, sondern fast unerträglich. Ein alternder Mann mit vielen Falten galt damals als interessant, eine alternde Frau war immer nur eine runzlige Alte. Und was bei einem Mann von aller Welt akzeptiert wurde, war bei einer Frau unmöglich. Es war gang und gäbe, daß sich ein 60jähriger eine 25jährige nahm, im umgekehrten Fall war es ein Skandal. Ein junger Mann kam auch gar nicht auf die Idee, sich in eine alte Frau zu verlieben, schon wegen der Vorurteile, die damals herrschten. Es war die Welt der Männer. Alte Männer taten ihre alten Frauen einfach weg und nahmen sich eine junge, wenn sie das Geld dazu hatten, denn eine Frau hatte einfach jung zu sein, sonst war sie erledigt. Darum führten die Frauen einen verzweifelten Kampf, sich für die Männer jung zu erhalten, aber es gelang ihnen nicht, der armen Alma gelang es schon gar nicht. Die einzige Frau, die diesen Kampf meines Wissens nicht zu führen brauchte, war die Puppe Wunderhold, und die wollte ihre Jugend gar nicht. Darum ist ja ihre Geschichte auch so absonderlich.

Nun war die armselige Alma allerdings auch ein absonderlicher Fall, weil sie ihr armseliges Leben als nicht so armselig empfand. Daß ihr Leben armselig war, bemerkte sie erst nach dem Tod der Mutter. Da waren ihre Wurzeln plötzlich abgeschnitten, und sie mußte vertrocknen. Vorher war sie immer ganz zufrieden gewesen, zumindest zufrieden mit sich selbst. Es hatten ihr zwar die Umstände böse mitgespielt, aber sich selbst hatte sie deswegen keinen Vorwurf zu machen, denn sie hatte immer alles richtig gemacht, dachte sie. Sie blickte auf ein langes Leben zurück, in dem sie alles gekonnt, wenn sie es gewollt oder wenn man sie gelassen hätte. Wenn man die Sache also auf diese Weise betrachtet, ist es vielleicht so, daß die Ungerechtigkeit der Gabenverteilung, die damals an der Wiege von Alma und der Puppe stattgefunden hatte – Untergangsmaschine und Klimperklavier –, gar nicht so ungerecht war. Denn in Almas Fall hatte es sich ja erwiesen, daß auf dieser Welt eine Untergangsmaschine auf die Dauer ein soliderer Schutz sein kann als ein Klimperklavier. Schließlich sprang Alma nicht aus dem Fenster. Daß sie nun eine von den zahllosen Frauen war, die ohne Mann lebten, störte sie längst nicht mehr. Einen Alten wollte sie nicht, und einen Jungen konnte sie nicht haben. Alma lehnte sich gegen diese Tatsache nicht auf. All ihre Sehnsüchte hatte sie sich weggeritten. Nur manchmal noch krampfte sich ihr Herz zusammen beim Anblick von Liebespaaren, die engumschlungen am Waldesrand spazierten. Aber abgesehen von solch seltenen Momenten, zog Alma das Leben mit der Mutter dem Leben mit einem Ehemann vor und war zufrieden mit ihrem Los, auch wenn die Zufriedenheit sich darin ausdrückte, daß sie über ihr Los klagte.

»Frau Schmidt ist eine nette Frau«, sagte Alma zur Mutter, »sie hat nur so Depressionen. Ich habe ihr gesagt, sie solle reiten, davon gingen die Depressionen weg.«

»Was bist du für eine Närrin. Ich bin über siebzig, reite nicht und habe auch keine Depressionen. Ich war mein Leben lang gut zu allen Menschen, darum kenne ich keine Depressionen. Jetzt sehe ich oft meinen Vater vor mir, wie er ganz zuletzt seine dünnen Ärmchen zu mir hochhob« – sie tat Daumen und Mittelfinger zusammen und formte damit ein Loch, um zu zeigen, wie dünn die Ärmchen geworden waren –, »und höre ihn sagen: ›Was bin ich für ein glücklicher Mensch, daß ich eine so gute Tochter habe‹ – das kann ich von dir nicht immer behaupten.« Die Mutter sagte dies drohend, mit geblähten Nasenflügeln, so, als ob Alma ihr ein Leid getan habe mit den Depressionen von Frau Schmidt.

Die Mutter war sehr wechselmütig geworden, schimpfte immer auf eine der drei Töchter, je nach Laune, änderte auch beständig ihr Testament und vererbte alles derjenigen, auf die sie gerade nicht schimpfte. Daß sie eigentlich nichts mehr zu vererben hatte, weil alles von Alma verwirtschaftet worden war, störte sie dabei nicht.

»Ich kann gar nicht verstehen, wie die Johanna so viel um diesen schrecklichen Gustave weinen kann. Soll sie doch froh sein, daß sie den Kerl los ist, der hätte sie noch ins Irrenhaus gebracht. Für den hätte sie ihr letztes Hemd hergegeben, aber für ihre Mutter tut sie nichts. Nicht ein einziges Mal ist sie mit mir spazierengegangen, immer mußte ich allein gehen. Sie hat nichts anderes im Kopf, als mit Männern ins Bett zu steigen. Um zu vergessen, sagt sie. Dabei ist sie bloß mannstoll. Sie wirft sich richtig weg. Und was hat sie immer für große Töne geredet mit ihrer Kunst, aus der nichts geworden ist, alles wegen dieses Kerls. Außerdem trinkt sie. Wer so lebt, der muß ja schlimm enden. Und die Puppe ist geizig. Schrappig – das war sie schon immer. Bei der zählen nur ihr Depardieu und die Kinder, für uns gibt sie keinen Heller, wenn mal was ist.«

So wie die Mutter über die Töchter schimpfte, schimpfte Alma, wo sie konnte, auf die Mutter. Schien die Mutter aber einmal wirklich verletzt von dem, was Alma sagte, so war Alma zerknirscht wie ein kleines Kind und tat alles, um sie wieder in gute Laune zu versetzen.

»Ich liebe sie ja«, sagte sie. »Es gehen mir nur manchmal die Nerven durch. Liebe ist eben eine Nervensache. Wenn Mutter so bollerig und ungerecht ist oder wenn sie in den Pantoffeln daherschlurft und sich in der engen Küche mit ihrem Hintern an mir vorbeiquetscht, dann gehen mir eben die Nerven durch.«

Bei der Mutter kam durch das Arschreiben der Ärger über den Abstieg und die Erinnerung an die große Küche damals in der Stadt wieder hoch: »Das waren noch Zeiten – drei Dienstmädchen hatte ich und eine Köchin und so viel Platz.«

»Was vorbei ist, ist vorbei, und in dieser Küche ist einfach kein Platz für mehrere«, sagte Alma streng. »Ich koche für dich genausogut wie eine Köchin.«

»Das möchte ich dahingestellt sein lassen«, sagte die Mutter und sah mißtrauisch auf die blassen Rebhühner im Topf.

Ungefähr ein Jahr vor ihrem Tod hatte die Mutter noch einen Verehrer, einen etwas hagestolzigen, aber vornehm aussehenden Ingenieur mit schwarzgefärbten Haaren. Er war siebzig und sagte, er zöge ihre Gesellschaft der von jungen Mädchen vor. Er verbrachte den Herbst bei Verwandten im Dorf und begleitete die Mutter manchmal auf ihren Spaziergängen, lud sie einmal sogar in die Stadt ins Theater ein. Als er nach ein paar Wochen wieder abfuhr, fragte er die Mutter, ob er ihr wohl schreiben dürfe. Aber da die Mutter Angst vor Alma hatte und diese verdächtigte, ihre Post zu öffnen, wollte sie keine Korrespondenz mit ihm.

Ihre Einstellung zu Männern war im Alter etwas milder geworden. Alle sexuellen Gefühle waren verschwunden und damit auch der große Ekel. Die Verehrung des braven Ingenieurs tat ihr wohl und belebte sie. Sie freute sich auf den nächsten Herbst, in dem er wiederkommen wollte. Daß sie den nächsten Herbst vielleicht gar nicht mehr erleben würde, kam ihr nicht in den Sinn. Die Mutter lebte so gern, daß sie an den Tod nur äußerst selten dachte.

Vielleicht war auch der Ingenieur der geheime Grund, daß die Mutter in ihrem Alter noch dem allgemeinen Abnehmewahn zum Opfer fiel. Sie wollte nämlich plötzlich schlank sein.

»Ich will keine dicke Watschel-Alte werden«, sagte sie, »nichts ist scheußlicher als eine dicke Watschel-Alte.«

Da sie aber nicht ganz auf alle guten Kuchen verzichten wollte, nahm sie Abführmittel in großen Mengen, was natürlich seine bösen Folgen hatte. Sie mußte immer dann aufs Klo, wenn weit und breit kein Klo in der Nähe war.

»Mutter hatte neulich auf der Wiese einen Toutdesuite«, schrieb Alma an die Puppe. »Um die Wiese standen ringsherum Häuser. Ich verzog mich, als sie sich so einfach hinhockte, und schämte mich zu Tode, weil die Leute sie ja sehen konnten. Aber Mutter löste die Situation ganz souverän und ging anschließend so vornehm weiter, als sei sie die Königin von England. Sie sieht übrigens wunderschön aus jetzt, das etwas Schlankere steht ihr sehr gut, alle machen ihr Komplimente, weil sie so gut aussieht. Aber warum sie plötzlich schlank sein will, wo sie doch so gern viel ißt, das wissen die Götter. Manchmal habe ich den Verdacht, sie hat noch einen Verehrer. Es ging da oft so ein seltsamer Mann mit ihr spazieren, der im Dorf zu Besuch war, fuhr sie sogar einmal ins Theater in die Stadt. Mir war der Kerl ziemlich verdächtig, er dachte sicher, es gäbe bei unserer Alten noch was zu holen. Aber nun ist er wieder weggefahren.«

Es war der schönste Sommer, in dem der Tod kam. Seit Jahren war kein Sommer mehr so schön gewesen. Alle Leute freuten sich am wolkenlosen Himmel, nur die Mutter hätte sich ein paar Wolken gewünscht.

»Ich kann diese Hitze nicht ausstehen«, stöhnte sie, »mir ist ganz schwindelig.«

»Das sind die Abführpillen«, sagte Alma, »jeder Mensch weiß, wie schädlich sie auf die Dauer sind.«

»Ach was, ich nehme ja längst keine mehr«, log die Mutter, »Hitze habe ich mein Leben lang nicht vertragen können.«

Der Mutter war es zu heiß. Wilhelmine, dem Hund, war es auch zu heiß. So lagen sie beide im schattigen Gärtchen bis zum Abend, wenn es kühler wurde und die Mutter zu ihrem täglichen Spaziergang aufbrach. Die Mutter lag im Liegestuhl, Wilhelmine zu ihren Füßen, den großen Kopf auf den Vorderpfoten, die Augen weit ins Innerste der Ewigkeit gerichtet, ein getreuer Wächter. Die Mutter hätte keinen besseren Freund haben können als diesen guten Hund, aber er war ihr immer unheimlich geblieben. Zwar duldete sie ihn, wenn er still neben ihr lag, warb sogar manchmal um seine Gunst und gab ihm heimlich zu fressen, wenn sie etwas nicht mochte. Aber er durfte nie mit ihr spazierengehen. Sie fürchtete, er könnte sie an einem einsamen Ort anfallen.

»So ein Unsinn, der Hund bewacht dich doch und tut keiner Fliege was«, sagte Alma.

»Fliegen vielleicht nicht, aber Kaninchen. Ich möchte nicht wissen, was du dem Bauern neulich zahlen mußtest, als Wilhelmine in seinen Stall eingebrochen war.«

»Der Hund wird dich kaum für ein Kaninchen halten.«

»Wer weiß«, sagte die Mutter, »auf alle Fälle halte ihn fest, wenn ich spazierengehe, damit kein Unglück geschieht.«

Eines Tages geschah nun ein Unglück, denn Alma vergaß, den Hund festzuhalten, als die Mutter nach Hause kam, und Wilhelmine, die wie Johnny ihre Größe nie recht verstanden hatte, sprang voller Wucht und Wiedersehensfreude an der Mutter hoch. Die Mutter erstarrte vor Schrecken. Sie fiel kerzengerade hinterrücks zu Boden.

»Ich habe mir sämtliche Knochen gebrochen«, wimmerte sie. Sie bot ein Bild des Jammers.

»Ausgerechnet an einem Samstag muß das passieren«, sagte Alma, »wie unangenehm, den Arzt an einem Wochenende zu stören.«

»Sie haben Glück gehabt, es ist nichts gebrochen«, stellte der Arzt etwas beleidigt wegen der Störung fest, nachdem er die Mutter etwas befühlt hatte. »Es ist nur eine Prellung.«

»Aber mein Herz, mein Herz tut mir so weh.«

»Das ist bloß der Schock, so ein Herz wie Sie möchte ich haben. Mit dem Herzen werden Sie hundert. Etwas Ruhe, ein paar Kompressen und dann können Sie bald wieder laufen wie ein Hase«, sagte der Arzt.

Er schien recht zu haben, denn die Mutter erholte sich schnell wieder. Ihre Energie kehrte zurück, sie kommandierte Alma kräftig hin und her, verzieh Wilhelmine und lag weiter während der Hitze friedlich mit ihr im Garten. Nur ging sie früher als sonst in ihr Bett, das für sie der Ort des reinen Glücks geblieben war. Sie lag lange wach, las oder hörte Musik – die Jupiter-Sinfonie, die sie so liebte.

Eines Nachts war sie besonders ruhig und gelassen. Der Tag war quälend heiß gewesen, aber nun wehte eine kleine wohltuende Brise in ihr Zimmer. Durch das weitoffene Fenster betrachtete sie ergriffen die großen Sterne am Himmel. Sie war versöhnt mit ihrem Gott, ja, das Göttliche schien sie auf einmal leicht zu verstehen, das Menschliche dagegen schwer. Sie dachte an manches, dachte an ihre Kinder, die nicht das Leben hatten, das sie ihnen gewünscht hätte, dachte an Johnny, weit weg auf der anderen Seite der Sterne, dachte auch an den netten Ingenieur, der bald wiederkommen würde. »Der gestirnte Himmel über mir«, sagte sie beruhigt. Eine Weile sah sie noch hinaus in die Dunkelheit und schlief dann zufrieden ein.

Sie mochte wohl eine Stunde geschlafen haben, als eine Übelkeit sie aufweckte. »Meine elende Galle«, dachte sie, »ich muß mich übergeben, dabei habe ich doch nichts Unrechtes gegessen und keine Aufregung gehabt. Vielleicht ist es der Schock von dem Sturz, der mir noch in den Gliedern sitzt. Morgen werde ich den Doktor rufen.«

Aber dann spürte sie plötzlich einen entsetzlichen, sie fast erstickenden Schmerz in der Brust. Sie klopfte fest an die Wand, um Alma zu rufen, denn eine unbekannte Angst überfiel sie, und ihr wurde schwarz vor Augen als sie versuchte, sich aufzurichten.

Alma hörte das Klopfen wie von fern her. Sie war im Halbschlaf und zu müde, um ihre schweren Glieder hochzubekommen. So viele hundert Male war sie aufgesprungen, um nach der Mutter zu sehen, wenn sie geklopft hatte, und nie war etwas Ernsthaftes gewesen. »Sie wird schon noch einmal klopfen, wenn es ihr wirklich schlecht geht«, dachte sie und horchte ein Weilchen. Aber die Mutter klopfte nicht mehr. Alles war ganz still im Haus. Alma hörte nur das Ticken einer Uhr.

Alma war es gewöhnt, daß die Mutter lange schlief. Aber als die Mutter an jenem strahlenden Sommermorgen um elf noch immer nicht nach ihrem Frühstück gerufen hatte, wurde Alma unruhig und öffnete vorsichtig die Tür zu ihrem Zimmer.

Die Mutter lag da, den Kopf am Fußende des Bettes, klein, erbärmlich klein, zusammengekrümmt, wie versteinert, als ob sie schon Tausende von Jahren so gelegen hätte, den Mund entsetzt geöffnet, ein Opfer eines Vulkanausbruchs, das noch versucht hatte, der tödlichen Lava zu entkommen.

Almas Herz stand still. »Mutter«, schrie sie und immer wieder »Mutter«, so laut, daß der Himmel es hörte, in dem die Mutter wahrscheinlich schon saß. Alma nahm sie in die Arme, legte sie zurück in die Kissen, rüttelte und streichelte sie und riß ihr, um sie wieder zum Atmen zu bringen, die falschen Zähne heraus.

Dann, als sie begriff, daß es der Tod war, den sie umarmte, schluckte sie in ihrer Verzweiflung alle Pillen, die in verschiedenen Döschen für die vielen Leiden der

Mutter auf dem Nachttisch lagen, Hände voll Pillen, wie eine Rasende schluckte sie und wurde ohnmächtig.

Wilhelmine richtete während der Beerdigung ein wahres Blutbad in den Kaninchenställen an und legte die zerschundenen Tierchen nebeneinander aufgereiht vor die Tür des Trauerhauses. Sie hatten alle den gleichen verschreckten Ausdruck, wie ihn die Mutter in ihrem Sarg gehabt hatte.

Scott Spencer

Endlose Liebe

Roman. Aus dem Amerikanischen von Rudolf Hermstein. 440 Seiten, gebunden.

Joyce Carol Oates: »Ein phantastisch lesbares Buch... Keine Beschreibung von ›Endlose Liebe‹ kann dem reichen, verblüffenden und stets intelligenten Tenor von Spencers Prosa gerecht werden.«

»Bevor ich Scott Spencers bewegenden neuen Roman verschlang, hätte ich es für ausgeschlossen gehalten, daß es einem zeitgenössischen Autor gelingen könnte, mich für die Geschichte eines liebeskranken Teenagers zu interessieren, der sein Leben zerstört, nur um mit einem Mädchen zusammen zu sein, das zu treffen man ihm verboten hat.« *New York Times*

»Der Triumph dieses erstaunlichen Buches beruht auf seiner Beschwörung reiner, unverstellter Leidenschaft.«
Cosmopolitan

Hoffmann und Campe